詩の彩り

SHI NO IRODORI
Hiroshi Kishida

岸田裕史

Miotsukushi
澪標

目次

装幀　倉本修

序詩　# 詩のなかの磁性体

詩に残された領域は少なく
何処までが磁性体なのかよく分からなくなってしまった
霞むように磁力が減衰してゆき
磁場のなかへ
詩の言葉を放射すると
ゆるやかに電磁波のさざ波が広がる

コバルト磁石の強さに魅かれて
わたしの身体は浮きあがり
ふわり　ふわり
使い古した言葉を捨て

ヒステリシスの暗い流れに身をまかす
詩がキーマテリアルになれないことは分かっている
耐熱だけがとりえの口惜しさを忘れ
保磁　保磁と叫びながらコバルトを詩の言葉に置き換える
それを見て笑うジスプロシウム
詩の言葉を電磁波にさらし透磁率を極限まで上げる
この配合でいけるなら
異種結晶の変容はどうでもいい

逃げ水のようにイオンが消えてしまい
ボイドの表面に使い古した言葉がへばりつく
もう熱処理がいやになり
詩の言葉の耐熱制御をあきらめる
結晶構造解析をすすめても変わらない保磁の行く末
ネオジム磁石に磨きをかけると
詩のなかの磁性体も白銀のコバルトに包まれてしまう

I

俯瞰するまなざし――荒川洋治の『娼婦論』と『水駅』

一九七一年十月二十日、京都駅から夜行バスに乗り東京へ向かった。乗客の多くは会社員であったが、複数の学生の足元にはヘルメットが転がっていた。初めて乗る夜行バスの車内は思いのほか静かであり、バスのエンジン音だけが響いていた。翌朝に東京駅に到着し、高田馬場に下宿していた従兄の部屋に転がり込んだ。この下宿は早稲田通りと明治通りの交差点の路地裏にあり、従兄は早大仏文科に在籍していた。二一日の夕方、どこであったか忘れてしまったがビジネス街の公園に集まりデモに参加した。どこをどのくらい走り回ったか何も覚えていないが、逃げるように高田馬場へ舞い戻り、学生街の食堂にとび込んだことは覚えている。中に入ると早大の学生が溢れており、女子大生がビールジョッキで乾杯の最中で、足もとにはヘルメットが転がっていた。学生たちはアルコールの勢いを借りてデモの意義などの議論を果てしなく続けていた。ここは京都から一人で上京した私には場違いの空間であった。翌日、従兄とともに早大文学部を訪ねたが、校舎には学生運動のスローガンが書きなぐられ初冬の風が吹き荒れていた。

それ以降、この下宿には随分お世話になった。部屋の鍵など無い時代であったから出入りは自由なので、東大野球部に在籍していた鮎川信夫の甥の野村周、国文社から『小林秀雄』を出版した新部正樹、都立大学に実家があった野田卓伸、神戸出身の野木正英などが入れ替わり立ち替わり出入りし、穴倉のような部屋の中で閉塞した文学論を戦わしていた。従兄の芝盛行は近年立て続けに未知谷からイレーヌ・ネミロフスキーの翻訳本を出版している。この下宿で「荒川洋治という新しい詩人が『娼婦論』という詩集で小野梓賞をとったらしい」という話を聞いた。新しい詩人荒川洋治、娼婦論、小野梓賞など、私にはどうでもよかった。ただ『娼婦論』という生々しい詩集のタイトルだけが頭の片隅に残った。ある夜、下宿のそばに開店した檸檬屋という喫茶店を訪ねると、店の奥でドリフターズの高木ブーがサイコロを転がすダイスゲームに興じていた。この檸檬屋から荒川洋治は第一詩集『娼婦論』を出版した。

方法の午後、ひとは、視えるものを視ることはできない。

北ドビナ川の流れはコトラスの市からスコナ川となり史実のうまった方位にその訛を高めている。果たしてそこにひとは在り、ウラルの高峰をのぞみながらてごろな森を切っている。倒れ木の音は落ちゆく地理に気をもみながら負の風をうけて、樵夫の午後に隠されてゆく

『娼婦論』所収「キルギス錘情」部分

高度経済成長を突き進む東京のビジネス街でデモがおこなわれる時代、穴倉のような下宿と学生相手の飲食店や麻雀屋が集まる早稲田界隈にあって、荒川洋治は中央アジアに位置するキルギスを題材に詩を書いていた。荒川洋治は激しく動く東京とそこに繰り

広げられる現実から遠く離れ、地図を俯瞰し、時空をこえて存在するウラルの高峰を詩の舞台に選んだ。この詩を読むと、キルギスの情景は数百年をさかのぼった昔も今もそれほど変わりはないという安堵をおぼえさせてくれる。荒川洋治は揺れ動く事象に密着するのではなく、高い空から事象を俯瞰し、現実的には視えない事象や、動かし難い情景を詩に書いた。冒頭のレトリックに満ちた一行は「ありふれた方法では、視える事象の、視えない本質を見ることはできない」と言いたかったのだろう。この時間と空間を俯瞰し、さかのぼる感性は稀有なものがあると感じた。

夢をみればまた隠れあうこともできるが妹よ
江戸は先ごろおわったのだ
あれからのわたしは
遠く
ずいぶんと来た

いまわたしは、埼玉銀行新宿支店の白金の光をついてあるいている。ビルの波音。消えやすいその飛沫。口語の時代はさむい。葉陰のあのぬくもりを尾けてひとたび、打ちいでてみようか見附に。

『水駅』所収「見附のみどりに」部分

荒川洋治は時間をさかのぼり、動かしがたい過去のなかにある江戸改代町の街並みや、見附のお堀端を俯瞰している。荒川洋治は近代に毒されていない安定した秩序と安寧に満たされた時空から、気がつけば埼玉銀行新宿支店の前に立ち「口語の時代はさむい」と震えている。この荒川洋治の感性は渡辺京二『逝きし世の面影』に愛惜をこめて書かれた江戸末期の叙景を思い出させてくれる。渡辺京二は同書の中で「江戸期文明ののびやかさは今日的な意味で刮目に値する。(中略)今では、江戸時代に生まれて長唄の師匠の二階に転がり込んだり、あるいは村里の寺子屋の先生をしたりして、一生を過ごした方が、自分は人間として今よりまともであれただろうと心底信じている」と記し、その温かく美しい文明を解体して成立した近代の在り方に異議を申し立てている。荒川洋治は若くして過去をさかのぼり過去の現実を想定して今を俯瞰するまなざしを身につけていた。

荒川洋治はよく知られている通り「文学は実学である」ととなえている。『文芸時評という感想』のなかで「この世をふかく、ゆたかに生きたい」と思うなら文学を読めと挑発している。「文学は、経済学、法律学、医学、工学などと同じように「実学」なのである。社会生活に実際に役立つものなのである。そう考えるべきだ。特に社会問題が、もっぱら人間の精神に起因する現在、文学はもっと「実」の面を強調しなければならない」と記している。また『文学の気のあるところ』のなかで文学は「人間の基本的なありかた、人間性を壊さないためのいろんな光景を、ことばにしてきた」と記している。この主張に異議をさしはさむ余地はない。私も文学によって人や現実の明暗、視えないもののなかに本質が隠されていることを教えられた。ただ文学には、中途半端に深みにはまると、暗闇にまき込まれ自分を見失ってしまう毒があることを忘れてはならない。逆に言えば、毒のない文学はおもしろくないのである。それも文学に教えられた人間の在りようであった。

時代の興奮は去った。ランベルト正積方位図法のなかでわたしは感覚する。

『水駅』所収「楽章」部分

荒川洋治は、時代の空気をすくいあげる名手である。私が早稲田界隈をふらついている頃は学生運動も下火になり、数年前の時代の興奮は消えかけていた。ただこの界隈の裏路地では、若い学生がこの先の行く末を案じながら、苦闘していた。その一人が荒川洋治であった。

数年前に大阪で荒川洋治の講演を聞いた。講演の終了後、質問タイムとなり、初老の男が「荒川さんは初期の作品と近年の作品とどちらを自分では評価しているのかと」問いただした。この初老の男の話し方は、昼間から一杯飲んでいるのかと思わせるほど粘液質の口調であった。荒川洋治は「自分が書いた作品を評価するのは難しい、初期作品が良いという人もいれば、近作が良いという人もいる、作品の評価は読者にまかせています」と言い放ち壇上から姿を消した。この軽い身のこなしは実学である文学に鍛えられたものであると感じた。

CYPRESS　21号　2018年6月

都市のなかで疲弊する感性 ―― 清水哲男の詩

一九七〇年代初頭の京都は、明治から大正にかけて建てられた町家が密集しており、じめじめと薄暗く梶井基次郎の「檸檬」の頃と同じような古風な街並みが残っていた。御幸町御池にあった双林プリントに同人誌の印刷を頼みに行くと、社主の山前實治さんにつかまり、詩の話を延々と聞かされた。この印刷屋には大野新も勤めており、詩集は文童社という社名で清水哲男『喝采』、清水昶『長いのど』などを出版していた。あるとき山前さんから詩誌「ノッポとチビ」をいただき「ここに載っている清水哲男は昶の兄貴や、東京に行ってしもうたけど、京大におったころから詩を書いてたんや」と教えられた。その後しばらくして清水哲男は『水甕座の水』でH氏賞を受賞したので、寺町二条の三月書房や四条河原町の京都書院を回ってみたが、売り切れて買いそびれてしまった。清水哲男は京大在学中に詩を書き始め、一九六四年詩集『喝采』を出版した。学生が詩集を出すには多額の経費もかかり、ひと月三畳三千円の下宿住まいの学生にとっては夢のまた夢であった。そこに収められた、印象深い詩の一節をひく。

河
激しいあなたの舌打ちを浮べ
街中の鏡を泡だらけにする
かつて
パリでペトログラアドで
妄想はそのようにふるえていた

「RIVER BLUE」部分

無駄のない言葉の連続と展開、ペシミスティックな表情で河のほとりを歩く清水哲男を連想させる作品である。タイトルを含めて、学生が書いたとは思えないほど洗練されている。時あたかも東京オリンピックで国内は沸き返り、日本はその後、高度経済成長に突き進もうとしている時代であった。そんな時期に清水哲男は京都から出身地の東京へ移り住み、詩を書き続けながら芸術生活社、河出書房、ダイヤモンド社などの出版社に勤めていた。私も学生の頃、本好きが高じて、東京の出版社に就職し編集者の仕事に就きたいと夢想したことがあった。世間知らずの学生には編集者の厳しさなど分かるはずもなく、東京で活躍する清水哲男は理想の文人に思えた。その邁進ぶりは荒川洋治が「技術の威嚇」で七〇年代詩を「おもしろくしたのもつまらなくしたのもこの清水哲男だ」と言わしめるほど存在感のある詩人であった。

それから私は文学青年を卒業して、出版社はあきらめ東京のとある会社に就職した。ある時、虎ノ門の森ビル17の地下にあった広和書店で何気なく新刊書の棚を見ていると、そこに『スピーチ・バルーン』があったので、すぐさま飛びついて買い求めた。京都の古びた町家の印刷屋で清水哲男の名前を知り、まさか東京のビジネスの中心地、虎ノ門でその詩集に出会うとは思いもよらなかった。『スピーチ・バルーン』に収められた二十篇のタイトルは全て漫画の主人公である。私がリアルタイムで読みふけった漫画は赤胴鈴之助と鉄腕アトムだけで、残りの十八篇は冒険ダン吉、のらくろ、タンク・タンクローなど読んだことのない漫画のタイトルが付けられていた。これらのタイトルは清水哲男の世代が読みふけった漫画の主人公であり、当時で言えば三十六、七歳ぐらいの会社のなかで多少余裕のでてきた世代が愛読していた漫画の主人公であった。その世代が『スピーチ・バルーン』を手に取ると、懐かしい漫画のイラストにつられて買い求めそうな装丁に仕立て上げられていた。

「あんみつ姫」部分

ああ、淋しいひとほどよく笑う
たとえば夕暮れの銀座で
イチゴのお土産を買ってかえるひとにしても

私は銀座でイチゴを買ったことがないのでよく分からないが、おそらく下町の果物屋とは全く違う高値で売られていたのだろう。その昔、清水哲男が銀座を闊歩していた頃でも、今でも事情は同じと思うが、普通のサラリーマンは銀座でイチゴは買わない。買うにしても、会社の交際費で買ってなじみのクラブに取引先のお土産用として持参するのが関の山である。そんなサラリーマンはごく一部の栄達を極めた人たちであり、その人たちはひと皮めくればホステスを前にして、淋しさを紛らわすためによく笑う人たちなのである。京都にあって鮮烈で硬質な抒情詩を書いていた清水哲男は、東京の雑踏に紛れているうちに「淋しいひとほどよく笑う」ような日々を重ねていった。それは東京に生きるサラリーマンの典型であった。「詩的空白者の差し出口」というエッセイに京大在学中「ブントを主軸に展開された闘争の過程で、ぼくが学び得た最大の事柄は、簡単にいってしまえば、観念の力強さということであった。観念の力が物質の力に転化していく」ことを学んだのである。この実感を内に秘めて清水哲男は仕事に邁進したはずであり、学生運動を経験した世代は高度経済成長の企業戦士、鬼軍曹であった。わたしの会社にも学生運動の経験者とおぼしき先輩社員がいて、飲み屋で随分気合を入れられた。そして翌朝、またひたすら仕事に邁進するのである。そんな事を繰り返していれば鮮烈で硬質な感性の疲弊はすすむ。私はその鬼軍曹にこき使われた最後の世代である。
　東京は膨張し続けている。私が京都から東京に行った頃の東西の経済力を比較すると、大阪が1なら東京は3であった。大阪には大商社や大銀行、大メーカーの本社があり、侮れない経済力を誇示していた。それが今や大阪本社の会社は続々と東京へ本社を移し、東京が一人勝ちの様相を呈している。そんな東京で詩を書き続けていけば、鮮烈で硬質な感性はどうなっていくのだろう。詩集『東京』には、その後の清水哲男が生々しく登場している。

おっかなびっくり
泣きたいほどの弱気
卑怯　甘ったれ　他力本願　成り行きまかせ
自尊　我慢　自愛　驕慢

貧困のなかで生きぬく知恵だったとは
いまさらいわせない　　　　　　　「塩まいておくれ　景気をつけろ」部分

詩としてはいささか直截な部分を引用したが、文字通り地方から東京に出てきた者の、生きぬく心情がストレートに記されている。東京で生きぬくサラリーマンの背広の内側は、この詩のような心情であった。京町家から遠く離れた東京砂漠で、年月が過ぎるほど清水哲男の瑞々しい感性はすり減り疲弊していった。二〇〇五年に出版された『黄燐と投げ縄』を一読して、過去を振り返る自分を別の自分が俯瞰しているような感覚に襲われた。

花咲き花散る
銀座から新橋まで歩いていくうちに
昔このあたりで働いていたことが思い出され

振り返って来し方を眺めて見ようとして
首をまわしかけてさっきの自分の顔が浮かび
こんな顔で若き日と出会うのはいやだなと

「花咲き花散る」部分

大昔、学生であった私は清水昶と飲みにゆき、新宿の「びきたん」という酒房で清水哲男に出会ったことがある。清水昶から「わたしの兄のです。兄はビールと焼き鳥で生きています」と紹介された。にこやかに笑う姿には都会人らしいスマートさがあり、何事もわきまえている大人の風貌を漂わせていた。このころ清水哲男は都市に生きる編集者として辣腕をふるい、詩人としても上り坂をきわめようとしていた頃であった。それから数年後、私も上京し、虎ノ門で『スピーチ・バルーン』を手に取り、東京暮らしを始めることになった。私は東京で詩を書くことは無かったが、その後の流転を振り返ると清水哲男と同じように「疲弊する感性」の道をたどってきたように思う。

CYPRESS　27号　2020年7月

ジャズのなかに浮かびあがる詩の言葉——田村隆一の詩

一九七〇年から八〇年にかけて、京都はジャズ喫茶の町だった。私が初めてジャズ喫茶に足を踏み入れたのは早大仏文科に在籍していた従兄が上洛したとき、三条河原町にあった「ＢＩＧＢＯＹ」に連れて行かれたのが最初であった。従兄は新宿のジャズ喫茶「ＰＩＴ ＩＮＮ」でウエーターをしていたのでジャズには精通していた。なぜ従兄は京都のこの店を知っていたのか、おそらく「スイングジャーナル」に掲載されていた広告を見て、探しやすい繁華街にあったから選んだのではないかと思う。私はそれ以降およそ一〇年間、狭い階段の地下にあった「ＢＩＧＢＯＹ」に通いつめた。この店はジャズ喫茶にしてはまだ広い方で、奥の壁ぎわにＪＢＬの巨大なスピーカが置かれていた。２台のスピーカを背にして真ん中の椅子に座れば特等席を射止めたことになり、その夜は最高の気分に酔いしれた。店の中は薄暗く煙草のけむりが充満しており、小声で話をしても「うるさい！」と叱られるほど来場者は我を忘れてハードバップに聴きほれていた。今のジャズラウンジはお酒を飲みながらライブ演奏を楽しみ、仲間やカップルで話をしても文句を言う奴は誰もいない。当時のジャズ喫茶は珈琲をすすりながら、レコード演奏を真剣に聞く場所であった。京都のジャズ喫茶の客はほとんど学生であり、行き場のない暗い孤独な若者のたまり場であった。河原町蛸薬師にあった「インパルス」にはジャズを聴きながら薬をかじっている奴がいて、これには閉口した。ジャズ喫茶は薄暗かったので小さな活字の本は読みにくく、大音響のなかで書物の意図を追いかけてゆく集中力を維持することは難しかった。そんなジャズの旋律と大音響のなかで読みふけった詩集が『現代詩文庫 田村隆一詩集』であった。

言葉なんかおぼえるんじゃなかった
言葉のない世界

意味が意味にならない世界に生きてたら
どんなによかったか

「帰途」部分

このフレーズをソニー・ロリンズ「サキソフォン・コロッサス」を聞きながら何度読み返したことか。このレコードジャケットには、無地のブルーを背景にしてサックスを吹くソニー・ロリンズの影絵が描かれていた。このジャケットがジャズ喫茶に飾られ、豪快なテナーサックスの演奏が始まると私のテンションは一気に上昇した。田村隆一の詩の言葉はソニー・ロリンズのアドリブソロに惑わされることもなく、薄暗いジャズ喫茶の中にあって屹立していた。田村隆一は「言葉なんかおぼえるんじゃなかった」と言いながら、その詩作品はモダンジャズに通じる洗練された言葉と、アドリブを駆使した思惟の展開があるように感じられた。

あるものは破壊と繁殖だ

あるものは再創造と断片だ
あるものは断片と断片のなかの断片だ
あるものは巨大な地模様のなかの地模様
つめたい六月の直喩の道
朱色の肺臓から派出する気嚢
氷嚢のような気嚢が骨の髄まで空気を充満せしめ
鳥は飛ぶ
鳥は鳥のなかで飛ぶ

「言葉のない世界」部分

この詩に使われている「再創造」「派出」「地模様」「氷嚢、気嚢」という言葉は田村隆一の言語感覚でなければ使えない独自の詩語である。何物にも妥協しない強い意志を感じさせる断言的な詩行の展開が、読む者に強い印象を与えている。また「鳥はとぶ／鳥は鳥のなかで飛ぶ」という詩行に田村隆一が戦前から接していたモダニズムやシュルレアリスムの匂いを感じさせる。

「荒地」の同人のなかで戦争中、鮎川信夫は陸軍に召集され広島宇品港からスマトラ島に赴き死に直面した。黒田三郎もジャワ島で陸軍に現地召集され終戦まで、二年の長きにわたり兵役についた。私の亡父も陸軍に召集され中国や南方方面を転戦したが、ほとんど戦争の話はしなかった。記憶をさかのぼると、ほんのわずか中国戦線の話を聞いた覚えはある。しかし南方方面の話は全く聞いたことが無かったので、おそらく話すに堪えない出来事があったのだろうと推測している。鮎川信夫と黒田三郎は南方方面の生き地獄をくぐりぬけて内地に帰還し、戦後いちはやく詩を書きはじめた。その作品には、あまりにも深く戦争の傷跡が刻まれており、死んだはずの男が生きのびて詩を書いているような喪失感が溢れている。田村隆一は海軍予備学生試験に合格し、外地に転戦することなく舞鶴で終戦を迎えている。田村隆一に叱責されることを覚悟して言うと、鮎川信夫と黒田三郎は南方の生き地獄で、戦前から蓄積されていたモダニズムやシュルレアリスムの感性をズタズタに引き裂かれたかもしれないが、田村隆一は内地にあってその感性をかろうじて守ることができた。その残された感性が戦後いち早く開花し、田村隆一しか書けない作品を「荒地」に発表しつづけたと思う。

燃えろ　鳥
燃えろ鳥　あらゆる鳥
燃えろ　鳥　小動物　あらゆる小動物
燃えろ　死と生殖
燃えろ　死と生殖の道
燃えろ

「言葉のない世界」部分

ほとんどモダンジャズに近いアドリブで書かれているような言葉の連鎖が続いている。私にはジャズ喫茶で詩集を読むこと自体が恥ずかしいと思う感性があったので、『現代詩文庫　田村隆一詩集』にブックカバーをかけて耽読した。室町今出川の市場の二階にあった「ＢＩＧＢＥＡＴ」や寺町今出川の「52番街」にも田村隆一を持ち込んだ。そんなジャズ喫茶を徘徊しているなかで、部活のチラシに広告を載せてもらうために河原町荒神口にあった「シアンクレール」を訪れたことがあった。この店のウエーターから店主のママはホテル住まいという話を聞いて、数日後にようやく面談したときのことを覚えている。ママは黒い衣装をまとい、おかっぱのような髪形をして妖艶に微笑んでいた。

彼女の文明は黒い　その色は近代の絵画のなかにない
彼女のやさしい肉欲は地球を極めて不安定なものにする
彼女の問いはあらゆる精神に内乱と暴風雨を呼び起す　「一九四〇年代・夏」部分

それから何度かママの顔を見るために「シアンクレール」を訪れた。ママはほとんど店に顔を出しておらず、そうこうしているうちに店は閉店した。風の便りで、閉店後しばらくしてからママは亡くなったと聞いた。

CYPRESS 25号 2019年10月

不気味な衝撃——吉岡実の「僧侶」

私の住んでいる高槻市の人口は今でこそ三六万人ほどであるが、昭和四十年代初頭は十二万人ほどであった。その頃、まともな本屋は駅前の新京町商店街に一軒しかなく純文学新刊書や文学全集、新潮文庫や角川文庫などがひと通りそろっていた。当時はこの狭い商店街の中をボンネットバスが走るほど、のんびりした時代であった。この本屋で角川文庫『現代詩人全集第十巻　戦後2』を買い求め、まとまったかたちで現代詩にふれた。三七〇頁のなかには長谷川龍生、堀川正美、富岡多恵子、秋谷豊、藤富保男、清岡卓行、茨木のり子、大岡信、中村稔、木島始、黒田喜夫、中江俊夫、吉野弘など、そして吉岡実の作品が最後に収められていた。「静物」に始まり「僧侶」に終わる九篇に、人を寄せ付けない暗さを感じた。そのなかでも「僧侶」からうけた不気味な衝撃はいまだに心の底に傷跡として残っている。

四人の僧侶
庭園をそぞろ歩き
ときに黒い布を巻きあげる
棒の形
憎しみもなしに
若い女を叩く
こうもりか叫ぶまで
一人は食事をつくる
一人は罪びとを探しにゆく
一人は自瀆
一人は女に殺される

「僧侶　1」

このグロテスクな僧侶とは何者なのか。十代の終わりにこの詩を読み、それ以降何度も読み返したてきたが、この世の規範など何のかかわりも無く、美しいと称賛される価値とは真逆の精神によって成り立つ魔界にひきつけられた。もとより吉岡実は、この世の規範や価値を否定するためにこの作品を書いたとは思えない。吉岡実はこの世から遠く離れたあの世に身を置き、死霊にとりつかれたかの如く「僧侶」を書いたように思う。「四人の僧侶」とは「死人の僧侶」のことであり、ここに展開されている物語はあの世の出来事である。あの世ではこの世の規範や価値など何も通用しない。

四人の僧侶
井戸のまわりにかがむ
洗濯ものは山羊の陰嚢
洗いきれぬ月経帯

三人がかりでしぼりだす
気球の大きさのシーツ
死んだ一人がかついでほしにゆく
雨の中の塔の上に

「僧侶　6」

井戸の周りには生き物の臭いのしない死の空間が広がっている。あの世など我々は行ったこともないし見たこともない。もし吉岡実があの世に近い世界を垣間見たとすれば、それは戦争体験であったと思う。ユリイカ一九七三年九月号「特集吉岡実」の詳細年譜によれば、昭和一六年八月入営、昭和二〇年八月済州島で終戦を迎えると記されている。この四年の軍歴は長い。その間、生きて復員できるとは思っていなかったはずだ。同誌に掲載された大岡信との対談で「いわゆる戦わざる兵隊、全自由を束縛された人間のグロテスクな姿がある」と語っている。『現代詩文庫　吉岡実』の末尾に収められた高橋睦郎の「76の質問」にたいし、戦争中は満州からハルピンなどに転戦したが「内務で馬の世話をしていました。だから前線の凄惨さは知りません」と答えている。続けて、戦争、戦後体験が作品にどう反映されているかと問われて「いい意味での生活が出てきたのではないでしょうか」と答えている。なんとも平凡な回答のように見えるが、凄惨な現場を知っている人はこの様な回答をするものだと思う。私の父がそうであった。

「僧侶 9」

四人の僧侶
固い胸当のとりでを出る
生涯収穫がないので
世界より一段高い所で
首をつり共に嗤う
されば
四人の骨は冬の木の太さのまま
縄のきれる時代まで死んでいる

もともと死人であった四人の僧侶が首をつられて嗤っている。このようなおぞましい光景は吉岡実の詩だけにしてほしい。浮世の現実に疲れはてた時に読みふける鮎川信夫や清水昶の作品は、どこかに生きていくうえで必要な倫理感が潜んでいるように思う。しかし「僧侶」はこの世の事象に背をむけ、あの世の出来事を書いているだけに、読めば読むほど不吉な気分になってしまう。しかし振り返って自分の心の中を覗くと、社会規範とは真逆のおぞましい暗闇が見え隠れしている。だからこそ吉岡実の詩集を手に取り、自分の心の深淵に帰るために「僧侶」のページを開く。もし現代詩のなかで最も心に残る一遍の詩を選べと問われたら、私は躊躇なく「僧侶」をあげる。

ＣＹＰＲＥＳＳ　17号　２０１７年２月

大工町寺町米町仏町 ——寺山修司の懐かしさ

今年は寺山修司没後三十年にあたり、本屋には完全保存版とか没後三十周年記念出版とか様々な寺山修司の書籍が並んでいる。驚いたことにネット上には「没三十年記念認定事業」なる簡易ブログまで開設され、恐らく二十代とおぼしき若い人も色々な書き込みをしている。寺山修司の人気は衰えるどころか、益々ブレイクしているようだ。俳人、歌人、詩人、小説家、劇作家、演出家、映画監督、競馬評論家なんでもござれの超人と、生前二度ばかり遭遇したことがあった。

学生の頃、落書きだらけの文学研究会の部室に先輩の浜田棟人さんが現れると、煙草をくゆらせながらいつも小脇に『寺山修司全歌集』（風土社）を抱えていた。浜田さんは机に全歌集を置き、それからまた煙草を美味そうに吸うのである。私が初めて寺山の短歌に触れたのは、この全歌集の背表紙に大きな文字で印刷されていた二首であった。

マッチ擦るつかのま海に霧ふかし身捨つるほどの祖国はありや
大工町寺町米町仏町母買ふ町あらずやつばめよ

私は舐めるようにこの二首を読み、この作者に寒々とした土の臭いと、その臭いにからみつく怪しい暗さを感じた。この全歌集の価格は四千円であった思うが、その頃京都のひと月の下宿代は三畳間で三千円であり、普通の学生では買うことのできない高価な歌集であった。そうこうしているうちに角川文庫『寺山修司青春歌集』(昭和四七年)が出版されたので、私は飛びついて買い求めた。そしてチェホフ祭から始まる寺山の全ての短歌を読み始めたのである。土の臭いに覆われた青森に暮しながらも中央で身を立てたい自己顕示欲、昔のお祭りの見世物小屋に漂っていた寒々とした嘘くさい臭いを感じた。昔のお祭りには見世物小屋が二つか三つは出店しており、看板には蛇女、小人の芋虫、刀を飲む男など、おどろおどろした絵が描かれていた。この絵に誘われて中に入ってみたものの、「何かドロドロしているけど嘘くさい出し物」しか出てこなかった。それでもお祭りのたびに、見世物小屋にはドキドキしながら足を踏み入れた。寺山修司の短歌には嘘くさい見世物小屋の懐かしい臭い、人を引きつけて離さない怪しい暗さがあった。

ちょうどその頃大学で寺山修司の講演会が開催され、是非とも彼の話を聞きたいと思い会場に駆けつけたところ、一階は超満員であり二階の末席で彼の話を聞いたことがあった。寺山修司は少し鼻にかかった青森訛りで「詩は電話帳をめくり、隅に印刷された文字を拾えば誰でも書ける。」と挑発していた。講演のあと質問のある人は挙手して下さいと言われ、私は勢いよく手を挙げ「そんな簡単に詩が書けるはずは無い。今ここで電話帳をめくって詩を作って下さい。」と問いかけた。寺山修司と会場にいた二百名ほどの学生の視線が私に集中した。寺山修司は小太りの顔を二階に向け、大きな目を見開きながら五分であったか十分であったか徹底的に私の発言を否定し続けた。青森訛りで「お前の言っていることは、間違いなんだよ……」と言い続ける寺山修司の攻撃的な形相が今でも脳裏に焼き付いている。寺山修司の言い分は忘れてしまったが、電話帳の文字を選ぶにしても人の意志が介在しており、文字の選び方によって芸術としての詩が成立するということを言いたかったのかもしれない。それにしても、無名学生の質問を徹底的に否定する寺山修司のエネルギーはたいしたものであると感心した。短歌に始まり、「天井桟敷」で実験演劇の盟主になるなど様々な分野で活躍していた寺山修司は時代の寵児であった。その寺山修司が無名学生に分かりにくい論旨を指摘され、ここまで否定する姿を見て益々嘘くさいと思ってしまった。

寺山修司の短歌は盗作の疑いがあると指摘されている。それも大家の作品を引いて、この部分が盗作であると具体的に指摘されている。真偽のほどはどちらでもいい、寺山修司の短歌には寺山修司しか表現できない怪しい暗さが溢れている。またラジオの深夜放送で聞いた浅川マキやカルメン・マキの歌詞を通して、私の中に寺山修司幻想が棲みついていった。寒々とした青森の土の臭いと、町の片隅にあふれる怪しい暗さ、その隙間から漏れる嘘くさい臭い。私は死んだ寺山修司に腕をつかまれたまま、今日まで生きてきたように思う。寺山修司には、一度取り憑かれると、そのままこびりついて離れない執拗な情念があった。

外套のまま墓石を抱きおこす枯野の男かかわりもなし
遠き土地あこがれやまぬ老犬として死にたりき星寒かりき
新しき仏壇買ひに行きしまま行方不明のおとうとと鳥

昭和四十年代の末は、高度経済成長を上りつめる途上にあり、これから先も何とかなるという気持ちはあった。そんな気持ちを持ち続ける私の心の裏側に寺山修司は棲みついたのである。
それから何年かして私は会社員になり、ある夜の新幹線グリーン車で寺山修司に遭遇した。寺山修司は椅子を目いっぱい倒して毛布を深々とかぶり熟睡していた。その顔を見て「寺山はあの頃に比べ、随分太ったな」と感じた。その後、間もなくして懐かしい寺山修司は没したのである。

CYPRESS　5号　2013年　9月

低い声――清水昶と新宿で

昭和四十年代の終わり、京都にあった私の大学にはまだ学生運動の余熱が残っており、学生会館に機動隊が乱入し居合わせた学生が検挙されるような状況が続いていた。その頃、負けることが分かっていながら高揚し、そのまま暗い闇の中へ転落してゆく学生の気分を清水昶は心をこめて詩に書き続けていた。文学にはまっているとは言えない普通の学生でも、難しい小説や現代詩を読む時代であったから、清水昶の詩集は売れに売れた。倉橋健一が「清水昶と六十年代」という批評の中で「詩と政治が混線した結果得られるものではなかったろうかと私は思い、そこが僥倖だった」と指摘している通りだと思う。この時代を振り返ってみると、高度経済成長のなかにあって、これから社会に出る学生は極端に厳しい競争のなかで自分は落伍し転落してゆくのではないかと予感し、その気分を清水昶の詩の中に見出していたように思う。だから学生運動に無縁の学生にも、清水昶の低い声が届いていた。

苔しきつめた石の階段に座り
きつい生涯をかかえてわたしは
落日に透ける目の奥へ血泡のようにしずんでいく男の顔に
ひくい声で呼びつづける

「流刑の刻」部分

その頃、文学研究会というサークルの中で「詩と風土」と称するシンポジュウムを開催する企画が持ち上がり詩誌「白鯨」の同人を中心に声を掛けてみようということになった。サークルの先輩であった清水昶に手紙を出したところ、すぐさま快諾の返事を得た。もう一人の参加者は横浜在住の鈴村和成であったため、日程調整やシンポジュウムの内容を打合せるために交渉役を東京に派遣することになり、東京にも泊まることができる知人のいる私にお鉢が回ってきた。

清水昶から指定された時間は夕刻であり、場所は新宿・靖国通りの松竹パーラーであった。遅刻はまずいと思い少し早目に店内に入ると、清水昶とおぼしき人物が誰かと話をしていた。その席で清水昶に紹介されたのが、当時国文社に在籍していた田村雅之であった。話のむきは詩集の出版に関する打合せであったと思う。田村雅之の事務的な話に、清水昶も事務的に対応しており、若い学生がするような文学論はどこにもなかったので、大人の話はすごいと感心してしまった。そのあと三人で飲みに行くのかと思っていたら、田村雅之は仕事の話が終わるとさっさと退席し、私は清水昶と二人きりになってしまった。

どこの店で飲み始めたのか忘れてしまったが、一軒目は立ち飲み屋であったと思う。京都を出てから飲まず食わずで新宿にたどり着き、腹ペコのままいきなり立ち飲み屋はきつかった。清水昶は噂通りの俯角四五度の姿勢で、低い声でぼそぼそとつぶやくように話していた。清水昶は京都を離れて、まだ六〜七年しか経っていなかったと思うが、京都の町のことや大学のことを色々と質問された。なぜ京都のことを質問するのか、私も後年京都から東京の会社へ就職したが、一人になるとあの居心地のよかった京都へ帰りたい気持ちに襲われた。もちろん観光地の京都ではなく、東京や大阪から置き去りにされたような京町家の裏路地の臭いを思い出し、すぐに京都へ戻りジャズ喫茶に身を沈めたいと思ったりした。清水昶もその日に京都から新宿にたどり着いた私から、最新の京都の臭いを嗅ぎとりたかったのかもしれない。後年すさまじい大酒け飲みになってしまった清水昶であるが、その時はいくら飲んでも酔わない哲人のような飲みっぷりであった。さらにサークルの先輩、後輩ということもあり、先輩風を吹かす清水昶の質問に私はくそ真面目に答えていた。清水先輩は上機嫌であったのか、この日は三軒の店をハシゴしたが、すべて清水昶のおごりであった。

その次に行った店は「びきたん」であった。カウンターだけの狭い店の奥に清水哲男が座っていた。清水昶から「兄の哲男です、兄はビールと焼き鳥だけで生きています」と紹介された。この店の滞留時間はわずかであり、清水哲男の顔を見に行ったような感じであった。そのあとに行った店は完全に忘れてしまったが、道すがら「君の最大の関心事は何か」ときかれたので「文学と実生活」と回答した。すると清水昶から「その問題は遠の昔に解決している」と言われてしまった。私は昼間からジャズ喫茶に入りびたり、麻雀にあけくれ、安酒を飲んで分けのわからない文学論を戦わす生活に居心地の良さを感じていた。こんな怠け者の生活から脱却し、文学から足を洗って就職活動に専念するかどうかという情けない課題が最大の関心事であった。清水昶は私の本音を理解して「実生活などどうでもいいから、文学に没頭せよ」と言いたかったのか、それとも「平野謙や伊藤整が芸術と実生活や私小説の問題は解決済みである」と言いたかったのか、今となっては藪の中である。おそらくは「お前はまだまだ文学の深さも怖さもわかっていないので、実生活のなかで文学に耽溺する道を選べ」と言いたかったのかも知れない。

わたしは男の生涯のようなものを食べ残し

疼く背で明滅する雷と雨の人道へ
影を踏んででていった
「夏のほとりで」部分

その後、夜の新宿を幾度となく歩き回ったが、今は無くなってしまった松竹パーラーの前を通るたびに清水昶と飲んだ夜のことを思い出した。そして何かを言い残しているような清水昶の顔を思い出し、もう一度酒を飲みながら話をしてみたいと思った。それはかなわぬ事なので、清水昶の詩集を開き「私の文学と実生活はこれで良かったのですか」と問いながら、過去に生きる清水昶と対話を続けている。

CYPRESS　6号　2013年12月

文学は役に立つのか ――鮎川信夫とともに

高校生の頃、微積分や三角関数で頭がモヤモヤしているときに、谷崎潤一郎の「痴人の愛」や「卍」などを読み数学の勉強は忘れることはできたが、余計に頭が朦朧としたことを覚えている。大正生まれの母から「文士は貧乏人でだらしない人が多い、谷崎潤一郎なんか読んだらアカン、谷崎の小説は毒だらけで人を悪くすることしか書いてへん。」と聞かされていた。母に言わせれば、文学など何の役にも立たないから、かかわりを持つなということであった。ところが私は高校生の頃から小説や詩に興味を持ち、勉強よりもこっちのほうが面白いと思い始めていた。それでも文学では飯を食えないことは重々わかっていたので学校を卒業するとすんなり就職した。

私が就職した昭和五〇年はオイルショックの後とはいえ、日本経済は高度経済成長の途上にあり、多種多様な工場が全国に建設される時代であった。ところが今日の日本経済は中国や東南アジア諸国に押しまくられ、国内の工場はどんどん減りつづけ、メーカーは生き残りをかけて日本を飛び出し世界各地に移転してしまった。日本の経済活動はグローバル展開を余儀なくされているし、日本に限らず各国の経済活動もグローバル経済の渦に巻き込まれている。私の会社もその渦中にあって、きりきり舞いをさせられた。そんな中でホトホト仕事に疲れ果て現実から逃避したいと思い、まだ本を読む気力が残っているときに現代詩文庫『鮎川信夫詩集』を読み、癒される思いに包まれた。鮎川信夫の戦争詩の舞台は軍隊であったが、私は軍隊を会社に読み替えて鮎川信夫の詩を読み続けた。不思議なことに仕事にかまけて文学を忘れかけた頃に、自分にとって「文学は役に立つのか」という設問が浮かんでは消えてゆくことがあった。しかし文学それ自体が独立した生き物であり、そもそもこのようなプラグマティックな設問は意味をなさないのかもしれない。それを承知で鮎川信夫とともに歩んだこれまでの道のりを振り返ってみたい。

吉本隆明は「虚業と実業」というエッセイの中で「文学というのは虚業中の虚業ということ」であり「始めは自分を慰めるだけのために密かに書いたものが、何となくいつの間にか人の目に触れるようになって、固定の読者も増えていく。そうして、その固定の読者にとってもまた、作品がその人を慰めるために役立つというのが、文学の本質的な有効性ではないでしょうか。」と述べている。私も疲れ果てた時に、慰められることを求めて鮎川信夫の詩を読み、自分よりももっと疲れている詩人がいると思い安堵した。

巨大な黒い影が波止場にうずくまっている
おれはずぶ濡れの悔恨をすてて
とおい航海に出よう

「繋船ホテルの朝の歌」部分

現実から逃避する手段、あるいは別世界を浮遊する手段として文学にはまり、慰められる有効性は確かにあると思う。それだけ有効性があるとすれば、薬と同じように副作用の毒もあると思う。数学の勉強中に谷崎潤一郎の毒にふれ現実から逃避する感覚、毒が回って観念や絵空事に振り回される感覚、文学には深入りすればするほど人格を壊してしまう怖さがある。直接的な仕事に関して言えば、目の前にある現実から逃避すればするほど現実に追いかけられ、さらにひどい現実に打ちのめされることが多かった。私は仕事のストレスは仕事で晴らしておかないと、余計にストレスが溜る小心者であった。それでも晴れない朦朧としたストレスから逃れるために『鮎川信夫詩集』を何度も開き、立ち昇るタバコの煙とウィスキーの臭いに紛れて日々の倦怠を優しく捨てる鮎川信夫に魅了された。それなら日々の暮らしのなかで、文学は慰み物程度のものであったのかといえば、それはそうではなかったと思う。

私の職場はシステム営業の最前線で、外資と国産が入り乱れて営業活動を展開する休みなしの3Kの職場であった。客先も特定の会社ではなく大中小の様々な会社を担当した。同業他社との足の引っ張り合いは当たり前で、倒産する客先もあれば、代金を支払わない客先もあり、油断もスキも無い大混乱の戦場であった。扱っている製品はデジタルであったが、職場と客先は「一寸先は闇」のアナログ世界であった。このアナログ職場には、何を考えているのか分からない人々がうごめいていた。人は頭の中でその人しか分からない妄想を作り上げる。この妄想は狂気の場合もあれば、とるに足らない勘違いの場合もあり、単純な方程式では裁けない広がりと奥行きを持っていた。偏差値など何の役にも立たなかったけれど、小説や詩を読んで垣間見た狂気と妄想の存在、人間は人それぞれの妄想王国を作りあげ、とんでもない行動をおこすという認識は仕事のうえで大変役に立った。鮎川信夫の妄想王国とは何であり、神とは何であったのか。ひょっとすれば鮎川信夫は神様をだまし続けて詩や詩論を書き続けてきたのかもしれない。

「病院船室」部分

なまぐさい葡萄酒を口から喀き、
寝台のうへに倒れ、死んだ真似して
神様をだます時が来た。

「死んだ男」Mに熱く語りかけ、墓の下に眠る姉とおぼしき女性に「姉さんごめんよ」と叫ぶ鮎川信夫。戦争体験をはさんで、詩の中にはおびただしい死者の影が登場する。その死者の影に背中を押されて詩を書き続け、「神様をだます」と言い切る鮎川信夫の凄味は際立っている。

小説や詩を読むことによって、その作品を書いた人の精神世界や体験を追随できたことも狭い世界しか知らない私には貴重な経験になった。就職したころに読んだ鮎川信夫「戦中手記」には軍隊のなかで生き延びてきた鮎川の経験が生々しく書かれており、その後の会社生活のなかで大いに役に立った。とりわけ次の一節はどうしても取り上げておかないとおさまらない。「僕は要領の悪い人間だ。軍隊ほど要領を使わねば損な所はないのだが、僕には先天的に要領が悪い、その上に多少動作が鈍い。見掛けで大分損しなければならない。そのうち僕は一番手数がかからず認められることを実行しはじめた。何でもない、殴られる時は率先して殴られること、――これである。」そうすれば積極性のある兵士として認められる。この一節によって私は随分助けられた。

私は仕事にかまけて文学から離れたつもりでいたが、よくよく考えてみれば鮎川信夫をはじめとする文学作品に助けられてここまで来たのかもしれない。会社では、文学が好きで現代詩を読み書きしているという恥ずかしい話は一切することは無かった。紆余曲折は色々あったが、これからも鮎川信夫とともに、行けるところまで行きたいと思う。

ＣＹＰＲＥＳＳ　８号　２０１４年５月

自己否定のはてに生み出される美しい純粋——八木重吉の詩

八木重吉はキリスト教信徒であり、詩集『秋の瞳』を出版したあと三十歳の若さで早逝した。いま現代詩から遠く離れたこの詩人の作品を読む人は少なく、論ずる人もいなくなってしまった。私が八木重吉に触れたのはいつ頃であったのか。おそらく高校生の頃、教会に通っていた時期があり、教会の関係者から勧められてその作品に触れたのだと思う。私の手元に彌生書房から出版された『定本八木重吉詩集』がある。奥付を見ると「昭和四十五年十一月二十五日刊、定価一二〇〇円」と記されている。当時、喫茶店でコーヒーを飲むと八〇円であったと思うが、高校生にしてみれば一二〇〇円は相当高価な買い物であった。そこには「荒地」や「櫂」「白鯨」に集う詩人とは全く違う閉じられた孤独な言語空間が広がっていた。

この明るさのなかへ
ひとつの素朴な琴をおけば
秋の美しさに耐えかね
琴はしずかに鳴りいだすだろう

「素朴な琴」

この高名な詩は八木重吉の死後に出版された詩集『貧しき信徒』に収められている。「素朴な琴」は、日本画のような絵画性と、その絵の中で奏でられる邦楽の音楽性を兼ね備えた美しい言語空間が広がっている。ここには社会の現実や様々な個人の生業から遠く離れた純粋な美しさが溢れている。それはあくまで個人的な閉ざされた空間の中に広がっている美しさであり、誰しもこのような心持で美しい言語空間を創出できるとは限らない。私は八木重吉の詩を常に読みつづけているわけではないが、ふいに八木重吉を読みたいと思うことがある。それは日々の生業のなかで、唐突に純粋なものに触れたいという思いに駆られたときである。八木重吉のいちずな美しさはどこから創生されてきたのだろうか。『定本八木重吉詩集』のなかには美しい言語空間とは真逆の、自分を罪人として断罪するような作品、自分の存在を否定するような作品がいくつも収録されている。

罪は悪魔にいざなわれた私の影
他人の罪も私の罪も
「ノートB」部分

ゆるされ難い私がゆるされている
私はたれをも無条件でゆるさねばならぬ
「夢」部分

血あり涙あるひとになるのだ
できなければ死のうとおもう
「ねがい」

思いつくままに拾いあげたこれらの詩行には、「素朴な琴」とは違う自己否定の言葉が続いている。『定本八木重吉詩集』に収められた詩は清らかな自然や妻子との穏やかな生活をうたい上げた作品に加えて、寂しさや憎しみ、自らを罪人として否定し、自死を選ぶような作品が多く含まれている。その表現は純粋にストレートであり、何度もこれらの作品を読んでいると気がめいってしまうほどの暗さがある。これはどうしたことか。その二重性に気が付いたのは、会社を退職し、あらためて八木重吉を読み直してからのことである。それまでは八木重吉といえばキリスト教信徒にして「素朴な琴」のような清らかな作品を書き続けた詩人であると思っていた。このような評価が定着した背景には『定本八木重吉詩集』(初版昭和三十三年四月)の冒頭に置かれた高村光太郎の「序」の賛辞が影響していると思う。高村光太郎は「詩人八木重吉の詩は不朽である。このきよい、心のしたたりのような詩はいかなる世代のなかにあっても死なない。詩の技法がいかように変化する時が来ても生きて読む人の心をうつに違ひない。」と絶賛している。これは明るい清らかな作品についての評価であって、暗い自己否定の作品にこの評価が当てはまるのかどうか疑問である。私は八木重吉が明と暗の二つの領域の詩を書き続けた背景には、やはりキリスト教の信仰が大きく影響していると思う。むかし教会に通っていたころ吉本隆明「マチウ書試論」を読み、牧師さんの説く「マタイによる福音書」とは随分違う近親憎悪の思想論が展開されていることに驚いたことを覚えている。そこには「原始キリスト教は、税吏とか、罪人とか、当時のユダヤ社会で疎外者、廃物とかんがえられていた人々を病者にたとえたりしているが、この病者という概念を、現実的なものから精神的なものへ移していったとき、正義の人ではなく、罪ある人を呼びよせた」その結果「一種のするどい二元論がうまれ、現実的な抑圧から逃れて、心情のなかに安定した秩序をみつけ出そうとする経路がはじまる。」と記されている。精神的な病者であり、心のなかで人と自分を責めつづる罪人であった八木重吉はイエス・キリストに呼びよせられ、心情のなかに安定した秩序を見つけ出した。その安定した精神的秩序のなかで、美しい詩を作り出すことができた。この明と暗の葛藤は死ぬまで続いたのである。

秋のひに　けやきがすくすくと野にたつように
ひとすじに　まじりけなく
じぶんのこころと身をひとつに統べて
できるかぎりのことをけんめいにしたい
ありがたさのおもいのかげに
すべてをひとつにささぐるねがいをかきいだして
きょうのひと日をあゆんでゆき
ゆうがたをむかえたらば
きょうをすごしたるを　手をあわせて　おれいをもうしたい

「寂寥三昧」部分

八木重吉の安定した内面の秩序は信仰に支えられているのだが、一方でキリスト教の重要な教義である原罪を負う罪人であるという認識、自己否定に苛まれる日常が続くという二重構造になっていた。自分自身を省みると、会社に職を得てから、良し悪しは別にして、汚い仕事も随分手掛けてきた。そんな自分を否定すればたちまち仕事から放逐され、生活の基盤を失ってしまう。私はある時期から仕事にかかわる自分を肯定し、何とか今日まで生きのびてきた。奇麗ごとだけでは生きてゆけない、当たり前のことはいえ四〇年も続ければ泥や垢も溜まってくる。八木重吉の自己否定は純粋な思いに溢れており、自分を罪人として苛んだとしても、泥や垢が溜まって身動きが取れずに沈んでゆくような自己否定ではなく、求道者的な色合いが強かった。自らを罪人であると断罪しても、マイナス掛けるマイナスはプラスになるようなエネルギーを秘めていた。八木重吉の場合、暗い自己否定が信仰によって裏返されたところに、明るい清らかな詩が成立した。そう考えればいちずに自己否定を極めた暗い領域も、高村光太郎の絶賛した「このきよい、心のしたたりのような詩」の間接照明であったと言えるかもしれない。この二重構造のなかに、いちずな美しさを創生する原点があったと思う。

ＣＹＰＲＥＳＳ　26号　２０２０年３月

屈折した抒情の輝き――中野重治の詩

手元にある岩波文庫『中野重治詩集』の内表紙に、万年筆の四角張った文字で七二・二・八という日付が書かれている。この文庫は、私がまだ二十歳になる前に高槻の商店街で買い求めた詩集である。奥付の定価には金額ではなく★と記されており、そのころは★ひとつが五〇円であったと思う。なぜ『中野重治詩集』を買ったのか、理由は忘れてしまったが、立ち読みをして気に入り値段が安かったから購入したと思う。その後、折に触れてこの詩集のページを開いた。それから数年後、上京して職に就き雨の品川駅を通過したとき、ふいに「君らは雨の降る品川驛から乗車する」という一行が頭に浮かんだ。会社の独身寮は東横線日吉駅からバスで十分ほどのところにあり、六畳の二人部屋で机と本箱は持ち込み禁止という知的環境からほど遠いタコ部屋であった。だから中野重治の詩を思い出しても岩波文庫を手に取ることもできず、雨の品川駅を通過するたびに、中野重治もこの駅頭に立ち、別れていく人を見送っていたのかと思うしかない日々を過ごした。

十代の私は御多分に漏れず教科書で萩原朔太郎、室生犀星、三好達治、高村光太郎、中原中也らの作品に触れ、退屈な授業の中で抒情に身を浸す楽しみを覚えた。『中野重治詩集』を購入したのも、おそらく岩波文庫のページをめくり、ああこの人は純粋な抒情詩人かなと思い購入したのだと思う。私は今でも中野重治は純粋な抒情が基本の人と思っているが、何か別のテーマを抒情詩に持ち込み、中盤あたりで抒情とは関係ないスローガンで締めにかかる作風が中野重治の特徴であろう。とりわけ何かのテーマを全面に出し、抒情を否定すればするほど抒情が輝きを増すような屈折した構造になっているように思う。

お前は歌うな

お前は赤ままの花やとんぼの羽根を歌うな
風のささやきや女の髪の匂いを歌うな
すべてのひよわなもの
すべてのうそうそとしたもの
すべての物憂げなものを撥き去れ

「歌」部分

この詩を初めて読んだときから、中野重治は頭隠して尻隠さず、赤まま、とんぼの羽根、風のささやき、女の髪の匂い、ひよわなもの、うそうそとしたもの、物憂げなものを好む詩人であると感じていた。その人柄は、本来好きで仕方がない抒情よりも、何かのテーマを優先させる物憂げで屈折した精神の持ち主に思えてならなかった。

好きなものを嫌いといい、嫌いなものを好きという屈折した精神は、題材や表出する形態は違うにしても誰でも持ち合わせている。それぞれの局面で、あまのじゃくのようなものの言い方をしている自分を客観視できればまだ良いと思うが、無自覚に屈折したものの言い方をされると会話は途切れてしまう。この作品について情緒的な短歌的な世界を否定しているという見方があることも承知しているが、何かの思惑を優先して自分の好むものを思いに反して否定せざるを得ないことはしばしばある。無理な否定をすればするほど、その対象を好んでいることが露呈するパラドックスがこの作品にはある。この表現のパラドックスに詩や文学の面白さと深さが秘められているように思う。中野重治は自分が屈折した抒情詩を書いていると認識していただろうし、それだからこそ抒情の否定を全面に押し出した「歌」の冒頭部分に、十代の私は逆に強烈な抒情を感じたのだと思う。

中野重治は小説も多数執筆しているが、いずれの作品も退屈なので途中で読むのをやめてしまった。それに比べて『中野重治詩集』は甘い湿り気のある抒情に溢れており、十代の私にとってはもってこいの詩集であった。その中でも「あかるい娘ら」という中野重治にしては珍しく素直な作品が心に残っている。

わたしの心はかなしいのに
娘たちはふっくらと肥えていて
手足の色は
白くあるいはあわあわしい栗色をしている
そのきゃしゃな踵なぞは
ちょうど鹿のようだ

物憂げな中野重治が女学校の校庭を眺め、健康的に飛び跳ねる女生徒を的確にとらえている。中野重治は岩波文庫の後書きに記しているように、室生犀星の弟子の一人であった。だから、このような作品を書けたのだと思う。その一方で「無産者新聞第百號」や「待ってろ極道地主めら」といった作品も収録されているが、両作品とも「あかるい娘ら」の飛び跳ねる女生徒に負けている。いや、勝ち負けの問題ではなく、そもそも土俵が違うのである。中野重治が後書きに書いている「革命藝術についての、労働者階級の藝術についてのイメジ」を詩から排除すればどうなるのか。室生犀星の二番煎じにはならないにしても、気の抜けたビールになってしまうかもしれない。中野重治の抒情は、土俵が違う課題を詩の中に持ち込もうとする屈折した精神があればこそ、輝きを増すものと思う。

CYPRESS　9号　2014年9月

出口のない告白 ── 中原中也体験

若いころ、東京新橋の烏森口にあったスナックへ通いつめた時期があった。まだカラオケが無い時代、居酒屋で腹ごしらえをしてから、このスナックへ行きいろいろな話をした。会社や上司に対する不平不満を酔っぱらった勢いで話すだけのたわいない飲み会なので、気心の知れた同僚と行くことが多かった。あるとき、それほど親しくない群馬出身の同僚とこのスナックへ行ったとき、この同僚が建前の話にあけくれ「会社のために力を合わせて頑張ろう」と言い、やおらカウンター越しに大声でこの一節を朗々と吟じたのである。

風が立ち、波が騒ぎ、

無限の前に腕を振る。

まさか新橋のスナックで酔っぱらって中原中也の「盲目の秋」に出会うとは思いもよらなかった。この同僚に「この詩は中原中也か」と聞いたところ「知らねえよ、先輩が吟じているのを見てカッコイイと思ったから真似をしているだけだよ」という答えが返ってきた。この建前とカッコよさに軸足を置く同僚は、数年後に退職してしまった。会社のなかで建前とカッコよさだけで生きてゆくことは、相当しんどかったはずである。しかし中原中也を「カッコイイ」と評価する感性は、さすがだなと感心したことだけは覚えている。同僚はこの詩のリズムと、これから先の会社人生を思い、「無限の前に腕を振る」というフレーズを自分に重ねてカッコイイと感じたのだろう。中原中也のこの一節は普通のサラリーマンを引き付ける力を持っていた。私はこの同僚とは違い、中原中也に対して屈折した眼差しで、その作品に接してきたように思う。

汚れつちまつた悲しみに
今日も小雪の降りかかる
汚れつちまつた悲しみに
今日も風さへ吹きすぎる

「汚れつちまつた悲しみに……」部分

高校の教科書に掲載されたこの作品を読んだときに、他の高村光太郎や三好達治とは違い、堅苦しい現代国語から解放された気がして、もっと多くの作品を読みたいと思い新潮社『日本詩人全集中原中也』を買い求め、いくつかの作品を暗唱できるまで読みこんだ。中原中也のガラスのように壊れやすい感性で書かれた作品は、世俗的な安定から落ちこぼれてゆく崩落感が基調にあって、その深みに中原中也が自ら落ちてゆく悲しみが溢れているように感じられた。自分を縛り付けるものから解放され、世俗的な安定から落ちこぼれてゆく感覚は、あの時代の現実から逃避しようとしている学生を引き付けてやまなかった。

血を吐くやうな　倦うさ、たゆけさ
今日の日も畑に陽は照り、麦に陽は照り
睡るがやうな悲しさに、み空をとほく
血を吐くやうな倦うさ、たゆけさ

空は燃え、畑はつづき
雲浮かび、眩しく光り
今日の日も陽は炎ゆる、地は睡る
血を吐くやうなせつなさに。

嵐のやうな心の歴史は
終焉つてしまつたもののやうに

そこから繰れる一つの緒もないもののやうに
燃ゆる日の彼方に睡る
私は残る、亡骸として―
血を吐くようなせつなさかなしさ
「夏」

夏の青空の畑の中で「血をはくようなせつなさかなしさ」につつまれ、中原中也は悲しみに沈んでいた。私はこの悲しみにはまればはまるほど、自分の感性も中原中也に同化し、自分を見失ってしまう怖さを覚えた。いわば中原中也が自分の体の中に入り込み、彼のせつない価値観に占有され、何もかも全てを失くしてしまう怖さである。小林秀雄が「中原中也の思ひで」で言うところの「彼は自分の告白の中に閉じこめられ、どうしても出口を見附ける事が出来なかった。」領域に自分も同化していく恐怖を覚えた。私はまだ若かった。中原中也を客観的にとらえて、その作品を評価するほどの力量も強さも持ち合わせていなかった。会社に職を得て以降、中原中也に距離を置き、彼の詩集を手に取ることもせず、意識的に離れていった。

文学作品を倫理的に読むことは、文学作品が本質的に備えている幅と奥行を狭めることになり、本来の読み方から逸脱している。優れた文学作品には、引きずり込まれるような危険な領域があり、自分が同化してしまうほどの毒を秘めている。中原中也の詩作品は「私は残る、亡骸として――」というほど世俗からかけ離れた位置にあって、その崩落感はけた外れの凄みがある。それゆえにこれから先、文学に毒を求めて酔いしれる人がいる限り、幾世代にわたり中原中也は読み継がれることになるだろう。

私はようやくここ四、五年前から彼の詩集を手に取り再読するようになった。そして、その毒と崩落感に酔いしれている。誰にも邪魔されずに、出口のない彼の告白に付き合うのである。

秋の夜は、はるかの彼方に、

小石ばかりの、河原があつて、
それに陽は、さらさらと
さらさらと射してゐるのでありました。

「一つのメルヘン」部分

この河原は三途の川のことなのか。それもまた良し。とことん彼の作品に付き合い毒を浴び続けても、ここまでくれば私はおそらく中原中也と同化することは無いであろう。若き日に彼と付き合い、彼が私の中に住み着くことを恐れた日々を懐かしく思い起こしているだけであって、今や彼に同化できるほどの気力も体力も失せてしまった。それでも彼の作品に親しみ、これからも我を忘れて中原中也に酔いしれたいと思う。

ＣＹＰＲＥＳＳ　24号　２０１９年７月

背中を押され続けて——吉本隆明『転位のための十篇』

高校生の頃の読書といえば、教科書の延長線上にあった夏目漱石や森鷗外、宮沢賢治に高村光太郎を文庫で読み、面白くもない文学の世界から離れてゆくというのが普通の高校生の感性であった。そんななか、何か面白い読み物はないのかと思い、現役で活躍している小説家、文芸評論家を紹介している奥野健男『文壇博物誌』を買い求め、むさぼり読んだ。今では奥野健男を知る人はほとんどいないと思うが、当時は『太宰治論』『文学は可能か』等の著書がある中堅の文芸評論家として知られていた。『文壇博物誌』を通して第三の新人と呼ばれた安岡章太郎、庄野潤三、遠藤周作の作品を教えられた。また教科書には掲載されるとは思えない吉行淳之介、埴谷雄高を知った。『文壇博物誌』に登場する文学者は七十名近いが、その中で最も親しみを込めて紹介されているのが奥野健男と東京工業大学の同級生であり、詩人であり文芸評論家の吉本隆明であった。しかし頬骨のはったごつごつした顔の写真を見ても、どんな詩や評論を書いているのかさっぱり分からなかった。『転位のための十篇』は吉本隆明が奥野健男に刊行の全てを任せた詩集であり、「刊行の仕事を彼から一切任された時の誇りとよろこび」を忘れることができないと記している。

奥野健男がそれほどまでに称賛した吉本隆明の詩集に初めて出会ったのは京都・河原町荒神口の古本屋であった。三月書房や京都書院に行けば新刊本を買うこともできたが、なにせ金のない高校生の身分であったため、古本屋で現代文学の新刊本を買うことが多かった。そこで見つけたのが『吉本隆明全著作集1　定本詩集』であった。手に取って「火の秋の物語」を読んで驚愕した。このごつごつした吉本隆明の顔とおなじような硬質で屹立した詩、今まで読んだこともない言葉の連続に驚いた。

じつにきみのあしおとは昏いではないか

きみのせおっている風景は苛酷ではないか
空をよぎるのは候鳥のたぐひではない
舗路（ペイヴメント）をあゆむのはにんげんばかりではない
ユウジン　きみはソドムの地の最後のひととして
あらゆる風景をみつづけなければならない

「火の秋の物語」部分

ここに書かれた「きみ」とは吉本隆明のことであり、「分裂病者」「廃人の歌」「死者へ瀕死者から」「一九五二年五月の悲歌」という心療内科にかかりそうな詩のタイトルからして、本人が本人に向けて詩を書くという内向的な詩集のように感じられた。これらの詩が書かれた時期は吉本隆明が東京工大を卒業後、絶縁スリーブ工場、化粧品工場、東洋インキに勤務し組合運動で職場を追われた頃であった。この詩集は行き場を失った現実が色濃く反映されているが、その一方で誰も書くことがなかった火傷するほどの暗い憎悪が溢れていると感じた。

それから私は取りつかれたようにこの詩集を繰り返し読み続けた。吉本隆明は組織を嫌い、集団から離れ、まさに分裂病者か廃人のごとく孤立することを好み、これを徹底的にすすめてゆく吉本隆明に狂気の沙汰と思えるほどの迫力を感じた。こんなことは自分では到底できないからこそ、逆に私はこの詩集にのめりこんでいった。

ぼくの孤独はほとんど極限に耐えられる
ぼくの肉体はほとんど苛酷に耐えられる
ぼくがたふれたらひとつの直接性がたふれる
もたれあふことをきらった反抗がたふれる

「ちいさな群への挨拶」部分

私が大学に入学した頃はすでに学生運動は衰退しており、キャンパスにはＶＡＮのアイビールックを着こなす学生やロングヘアーのおしゃれな学生が溢れていた。その頃、日本経済はオイルショックの真っ只中にあり、深刻な不況の時期であったためほとんどの学生は就職活動に邁進していた。私も一般学生と同じように過ごしていたが、どこか何か違うのではないかと思いながら華やぐキャンパスを見つめていた。私は学生運動から遅れてきた世代であったが、「直接性」「反抗」という詩句が学生運動に与えた影響は十分想像できた。そして敗走の末に底の底へ落ちてゆく学生の真摯な顔を思いうかべた。しかしこの四行の詩句は転落を詠嘆するだけではなく、そこから這い上がろうとする暗い情念が渦巻いているように感じられた。

私の場合はどうであったのか。職を得てから定年までぬくぬくと勤め上げることができたが、会社生活は山あり谷あり谷底もあって、誰かに助けてもらえるほど甘くはなく、吉本隆明の右の四行の詩句と同じような心持で仕事を続けてきた。会社の内実は色々ありすぎてここには書ききれないが、吉本隆明が底の底から這い上がってきたのだから、自分も少しはマネができるかもしれないと思い『転位のための十篇』を読み続けた。吉本隆明の道のりと、平凡な会社員の道のりは違いすぎて比較にならないが、転落がつきまとう崖っぷち行路という意味では、多少は似たところもあったと思う。

その季節は秋である
くらくもえてゐる風景のなかにきた秋である
わたしは愛のかけらすらなくしてしまった
それでもやはり左右の足を交互にふんであゆまねばならないか

「火の秋の物語」部分

詩に続いて『藝術的抵抗と挫折』『抒情の論理』等の評論集を読み、この人は何事も徹底的にやる人だから、原理論的な批評を書くのだと思った。『言語にとって美とはなにか』や『心的現象論序説』等、難解すぎて途中で投げだした著書も多数ある。それでも吉本隆明から「俺を手本にやってみろよ」と背中を押される気がして『転位のための十篇』を読み続けた。私と同じように学生時代に吉本隆明に出会い、その後平凡な会社員になってからも吉本隆明の著作を読み続けている人は多いと思う。吉本隆明の自分の過去や現在を呪い続ける内向性と、外に向かう戦闘性の狂気に触れたものは、二度とその感触を忘れることはできないだろう。ほとんどの人はそれを表に出さず、内にこもりながらひっそりと読み続けているに違いない。私はこれからも、そのようにして吉本隆明を読み続けたいと思う。

ＣＹＰＲＥＳＳ　11号　２０１５年３月

御幸町御池の詩人たち——山前實治さんと大野新さん

大学に入学後、軽い気持ちで文学研究会というサークルに入会した。このサークルの部室は学生会館別館五階にあり、べたべたと学生運動のビラが貼られた狭い階段を登り、ほぼ毎日部室に顔を出した。この頃の同志社は学生運動の熱気がまだ残っており、四年間の在学中にまともに試験が行われたのは二年間だけであった。この時期、オイルショックのために景気は低迷し、ほとんどの学生はせっせとレポートを提出して単位を取り、就職活動に邁進していた。私は大学が封鎖され、授業が無かったことを良いことにして、麻雀の面子を探しに文学研究会のボックスと称する部室に顔を出していた。遊び半分で文学研究会に入会したが、このクラブにはかつて清水昶、正津勉、佐々木幹郎、季村敏夫、永井孝史らも在籍しており、徹底的に文学論を戦わすという気風が残っていた。詩の機関誌として「同志社詩人」が発行されていたが、私が入会した時には廃刊されており、その後「朔」という詩誌が発行されていた。私は高校生の頃から詩とも呼べない習作を書いていたので、その勢いで「朔」にポツポツと作品を発表した。この「朔」の印刷所が御幸町御池にあった双林プリントであり、一回生の私は原稿を持って足しげく通うことになった。京都で発行されていた詩誌のほとんどは双林プリントで印刷されていたと思う。ここで社主であった山前實治さん、社員であった大野新さんにお会いした。

山前實治さんは、私が初めて話をした大人の詩人であった。正確に言うと、話をしたというよりも、一方的に山前さんの話を聞いたというのが実態であった。御幸町通りに面した社屋に入り「文研の岸田です。朔の原稿を届けに来ました」と言うやいなや、「まあ座れ、あんたは何回生や?」と聞かれ「一回生です」と答えた瞬間、痩身で背が高く眼鏡をかけた山前さんは、自らの詩歴を立て板に水のごとく話し始めた。戦前に岐阜から京都に出てきて詩を書きはじめ、戦後も「骨」という詩誌を発行し、同人には京都の文化人が集まっていると自慢されていた。話にのってくると山前さんは顔を近づけて話をされるため、山前さんの唾が私の顔にかかり閉口した。そして「若い書き手で見込みのあるヤツの詩集は、自分が主宰している文童社という出版社から出してるんや、それがこれや」と言い、本棚から清水昶『長いのど』を取り出し見せてもらった。表紙には美しい女性の写真が印刷されており「清水昶も学生の頃、しょっちゅうここに来てた。ワシが目をかけて面倒をみてやったんや」というようなことを話されていた。初めて出会った大人の詩人は、詩に対して強烈な情熱を持っており、この情熱が戦前、戦後を通して山前さんに詩を書かせていると思った。このとき双林プリントで印刷された「骨」「ノッポとチビ」「RAVINE」などを頂いたが、度重なる転居もあり散逸してしまった。また、ごく最近まで山前さんの孫娘が、歌手の倉木麻衣とは知らなかった。倉木麻衣の写真を見ると、ほっそりした顔立ち、吊り上がった二重瞼の瞳は山前さんによく似ているなあと思う。

山前さんと私の話を聞いていても聞かないふりをして黙々とタイプ印刷の活字を拾っ

ていたのが大野新さんであった。出来上がった印刷の原紙は、洗濯ばさみのようなもので針金に吊るされていた。山前さんから「大野さんや、彼も詩を書いてるんや」と紹介された。大野さんは立ち上がって大きな目で私を一瞥し「大野です」とだけ言って、また仕事を続けていた。大野さんの大きな瞳は北国の湖のように澄みきっており、私の心の底まで見透かされている様な怖さがあった。

椅子をずらして
あいたところをとおる
死体をずらして
あいたところをとおりぬける
「酔ってあるく」部分

大野さんは若い頃、肺結核をわずらい療養所で生活していた。私の地元にもむかし肺結核の専門病院があったが、昭和二十年代の末まで肺結核は不治の病と恐れられていたので、両親からこの病院の近くに行ったら「アカン」と言われていた。大野さんは結核療養所で生死の境を垣間見る体験を幾度もしてきたに違いない。それだけに物事や言葉を見つめる眼差しは澄みきっていた。その大野さんに見つめられると、怠け者で脆弱な私は逃げ出したくなるような心境になった。山前さんと違い寡黙であった大野さんからある時ポツリと「長く詩を書いていれば何とかなるよ」という主旨のことを言われた。若年の私には理解できない一言であったが、今にして思えば、これはなかなかできない事であった。

「言葉のたまり場」部分

黒田三郎はのどの奥を癌にやられた
高見順はもうすこし下がって食道だった
言葉のたまり場を灼かれた
火の断崖だった

双林プリントの帰りに寺町御池にあった喫茶「再会」で学生仲間と文学論といえない稚拙な議論を戦わせ、その延長戦を新京極の裏にあった酒房「静」で続け、酔いつぶれて誰かの下宿に泊めてもらうという情けない生活を繰り返していた。私には詩を書くことが「火の断崖」という覚悟もなく、不安も悩みもない学生生活をすごしていた。だから大学を卒業して就職すると、「長く詩を書く」どころか、文学や詩とは縁を切り、平凡な会社員として今日まで過ごしてきた。あれから四十年余の歳月が流れたにもかかわらず、双林プリントに通いつめた日々を鮮明に覚えており、時として懐かしく思い出している。過去を思い出して生きるよりも未来に向かって生きなければならないのに、これはいったいどうしたことか。私はこれからも懐かしい日々を思い出しながら、生きてゆくことになるのだろう。冥府から山前さんや大野さんも、それでいいよと言っているような気がしてならないのである。

CYPRESS　12号　２０１５年7月

時代のかなしみ——永井孝史詩集『時代』と『おお問題』

永井孝史さんの最新詩集『おお問題』のあとがきに目が釘付けになった。そこに書かれた「この『おお問題』（刷り部数60部）でもって、一九七二年『時代』に始まる私の詩集づくりの日々は終了する」という言葉にふれ、何とも名状しがたい時の流れを感じてしまった。私は学生の頃、永井さんから直接この第一詩集『時代』を手渡された一人であった。

私が大学に入学したのは一九七一年、京都の学生運動も下火になり、かつてのような大規模な街頭デモが行われることはなかった。ただ私の大学では時代の流れに逆らうように学生運動の立て看板が林立し、しばしば大学はバリケード封鎖され、授業がおこなわれない日々が続いていた。学内の学生運動の拠点であった学生会館だけはバリケード封鎖されておらず、何度か濃紺の制服とジュラルミンの盾で身を固めた機動隊にとり囲まれた。せっかく大学に入学しても授業は行われずヒマを持て余していたので、高校時代に詩とも言えない習作を書いていた勢いだけで学生会館別館五階にあった文学研究会に入会した。ボックスとよばれていた部室は訳のわからない落書きだらけで、床には煙草の吸殻が捨てられ、謄写版のインクと煙草の臭いが入り混じった何とも異様な空気が溢れていた。そこで初めて永井さんにお会いした。当時ヘビースモーカーであった永井さんがゴールデンバットをふかしながら「お前はどこの高校出身や」と聞かれ、「香里です」と答えた瞬間「香里はチャラい奴だらけや、この時代閉塞の状況に悩み苦しんでいる奴は誰もおらん。俺は岩倉や、俺の同級生には自殺した奴がいてるんや！」といきなり罵倒された。それから二年ほど、永井さんが東京に行くまでの短い期間であったが、折に触れて様々な薫陶を受けた。永井さんは各務默さん、首藤成憲さん、季村敏夫さん、佐々木幹郎さん、高橋善彦さん、木下真理さんらと文学研究会の同人誌「同志社詩人」を発刊していた。私が入学した頃には「同志社詩人」は廃刊されていたが、永井さんの円町のマンションで一号から四号までの「同志社詩人」を頂戴した。度重なる転居の際も大切に保管していたものの、いつ四散するかもしれず数年前に大学の社史資料センターに寄贈した。その頃の永井さんはウエーブのかかったロングヘアにベルボトムのジーパンを着こなすお洒落な学生詩人であった。大学に入りたての新入生からみれば、永井さんの立居振舞は随分カッコよく見えた。ただ眼光は鋭く、弁も立ち油断すれば徹底的にやられそうな緊張感を漂わせていた。その頃の永井さんは何を考えていたのだろう。

わたしは死にきれるのか
思いは水甕から天へ契り
柄杓の花弁がひらきはじめるとき
視線の海にひかる
こぶしのうちでこぼれゆくひとしずくの希望

「希望」最終部

この詩は『時代』におさめられた作品であるが、負け戦を生き延びてきた孤独な抒情を感じざるをえない。その頃、永井さんと部室で顔を合わし話がはずむと、学生会館の近くにあったにあった喫茶店「デューク」か「六甲」へ行き文学論を中心にした様々な話を聞いた。さらに話がはずむと寺町御池の「再会」というクラシックな喫茶店で話の続編を聞いた。肝心の話の内容は全て忘れてしまったが、黒田喜夫を称賛されていたことだけは覚えている。油絵のモデルをしているという話を聞いたのも「再会」であった。また学生運動にも深く関与されていたはずであるが、政治的な話がテーマになることはほとんど無かった。ただ文学と詩作に対する思い入れは相当強く、いまでもその頃の永井さんの熱気に触れた感触だけは残っている。

ひとひとり　ころすにたりぬ夕暮れに
血のはじまる時代のかなしみを

ふりかえることができるか

詩集『時代』の最終頁に置かれたこの三行に、永井さんの立ち位置が明確にしるされている。あの頃の日本は無残な敗戦から二十数年を経て経済復興を成し遂げ、さらに高度経済成長路線を突き進み世界第二の経済大国にのし上がろうとしていた時代であった。当時中国は文化大革命に邁進しており、今日のような経済大国になると予想するものは誰もいなかった。しかし無理に無理を重ねた歪みやひずみが社会の裏側や人々の生業に出はじめ、時代閉塞の状況が深まりつつあると感じている学生は多かったと思う。私も大学を卒業して会社に入れば、軍隊に近い組織の一員としてこき使われ疲弊し競争に敗れて落ちこぼれるのかというぼんやりとした不安があった。そのような時代の流れに異議をとなえ、負けを覚悟でアンチテーゼを主張することは相当しんどいことであり、負けに哀しみはつきものであった。永井さんは今では酒を飲まなくなったが、学生の頃は新京極の裏にあった酒房「静」のコンパに出席し土壁にもたれて辛口の話をされていた。そして飲むほどに辛口の批評の度合いが増すような勢いがあった。一九七三年五月であったと思うが、新緑のキャンパスでお会いした時、「俺は京都を離れて東京へ行く」と一言声を掛けられ、それから三十数年お会いすることはなかった。

　私は大学を卒業すると東京の会社に就職し、早い段階で文学と縁を切ってしまった。そうこうしているうちに五十歳をこえ六十歳の定年が見え始めた頃から、何とはなしに発表するあてもなく詩を書き始め、詩集『都市のしじま』を出版した。詩集を出したものの読んでもらう人もいなければ、贈呈する人もおらず「現代詩手帖」の住所録を見て永井さんにお届けした。ある日、突然永井さんから電話を頂き久々に京都で会うことになった。おち合う場所は阪急烏丸駅改札口であった。三十数年ぶりの永井さんは学生の頃と同じようにスタイリストであり、眼光の鋭さも同じであった。その足で京都産業会館の地下にある「アサヌマ」で色々な話をした。私は相変わらず酒も煙草も止められず齢をかさねていたが、永井さんはとうの昔にどちらもやめていた。学生の頃、ゴールデンバットを買うために朝からタバコ屋に並ぶと言われていた印象があるだけに、まさかと思ってしまった。眼光は鋭いものの、さすがの永井さんも齢をかさね、それ相応の雰囲気を漂わせていた。その後も数回「アサヌマ」でお会いした際、次に出版しようと書きためていたエレクトロニクス言語を多用した詩集『メカニックコンピュータ』の生原稿を渡し、永井さんに批評をお願いした。さぞかし辛口のコメントがあり、こんなもん詩ではないと批判されると覚悟していたが、永井さんから一言「変わってるな」と言われた。

私は詩を書き始めた時期が遅く詩作を通して切磋琢磨する仲間は皆無であり、同人誌や詩誌に誘われる機会は全くなかった。そんな私の来歴を承知の上で、永井さんから第二次「詩的現代」入会を誘われ快く承諾した。その際、永井さんから「二、三の作品を発表したあと、何らかの自分勝手な都合で安易に退会するな、少なくとも一〇号ぐらいまでは作品を書き続けろ。もしそれができないなら入会するな。退会する場合は、誰か後任を一人見つけてこい」と申し渡された。永井さんのこの話の意図は何であったのか。第二次「詩的現代」を盛り上げようとして群馬で編集の実務を担当されている方々に対する非礼な態度をとるな、これからも詩作を続ける意思があるなら苦吟のなかで一〇作ぐらい定期的に作品を発表しろ、という主旨であると理解した。永井さんのこの話は至極まともなことであり、異論をさしはさむ余地はなかった。そして「詩的現代」に掲載された永井さんの作品に四十数年ぶりに触れることになったのである。第一詩集『時代』から作風も大きく変わり、現代詩ではほとんど登場することのない「うどん」や「タヌキ」が乱舞する独自の世界が展開されていた。最新詩集『おお問題』にも生きているような「うどん」や人のような「タヌキ」が登場する。

タヌちゃんが
野原をうろついていると
とうとう
道に迷ってしまいました
日が暮れてきて

お腹はペコペコ
ほらッ
あそこにサヌキうどんって幡が出てるよ
戸を勢いよく開けると
逃げるなタヌキめ！
とっつかまっていきなり縛りあげられました

「タヌキの本歌取り」部分

この詩には難しい言葉は何処にもないが、物語の展開は奇異である。しかし何か作品全体に不思議な寂寥感がただよっており、うどんとタヌキの裏がわには一筋縄ではいかない紆余曲折が見え隠れしている。私は詩に現実的な意味や論理的な筋書きを求めることこそ不毛な読み方であり、感受性を開放して感じたままを素直に受けとめれば良いと思っている。タヌキが道に迷ってうどん屋に入り、捕まえられて縛りあげられる。こんなことはあり得ない話であるが、詩集『おお問題』は隠喩に隠喩をかさね、複雑奇怪な現代社会の重層的な喪失感を表現していると感じた。

タヌちゃんが悩んでいたのです
ああすべきか
それとも
こうすべきか
と
果てしもなく悩みを悩みつづけていたのです
世の中が
どうにもこうにもあれほどにも
複雑奇怪な様相を呈してくると
悩みに悩んだ腕ぐみ姿は押し出しも良く
りりしく板についていたらしいです

「タヌキの電話相談室」部分

この詩は永井さんのやさしく見えて難解な作品の中では、現在の立ち位置をストレートに表している部分ではないかと思う。そして「果てしもなく悩みを悩みつづけている」のは永井さんだけではなく、文学に無縁の人も含めて、この時代の底辺に堆積している普遍的な心情だと思う。第一詩集『時代』に記された「血にはじまる時代のかなしみ」は様々な変遷を経て今日まで引き継がれているところに、四十数年詩を書き続け来た永井さんの一貫した詩精神を感じざるをえない。

詩的現代　21号　２０１７年6月

………………

しなる鞭——佐々木幹郎の批評

神戸で開催された「詩のフェスタひょうご」で四十数年ぶりに佐々木幹郎さんにお会いした。佐々木さんは『「書く」こと、「待つ」こと。——中原中也とチェホフをめぐって』と題する講演のために神戸に来たのであった。

四十数年前、京都・先斗町の「嬉しの」という料理屋で大学の文学研究会の先輩であった山内さんと本間さんの結婚披露宴が開催された。私は大学二回生であったが、この宴席に出席した。大学はバリケード封鎖されていたが、学生運動の拠点であった学生会館は封鎖されておらず、学生会館別館五階にあった文学研究会のボックスと呼ばれた部室は二四時間出入り自由であった。この部室は学生の文学活動の拠点でもあり、遊び仲間や飲み仲間と落ち合う場所でもあった。私はヒマを持て余して麻雀を覚え、山内さんとよく雀卓を囲んだ。山内さんは大学を中退して広告代理店に勤務していたが、何故か学生と同じように部室に顔を出し後輩をつかまえては麻雀に誘っていた。この山内さんは学生時代チェホフに傾倒し「六号室」という活版印刷の本格的な文学雑誌を発刊していた。「六号室」の編集事務所は本間さんの自宅であった。山内さん、本間さんと私が部室で話していると突然ドアが開き、怖い顔をした学生風の男が「自主制作の映画を作ったから見に来てや！」と言い残してチラシを数枚置いて風のように立ち去っていった。山内さんは「あいつが佐々木や」と言い、私が「『死者の鞭』の佐々木幹郎さんですか」と聞くと「そうや」と教えられた。

ナロードの祈りに似た
ねばい朝のミルクの
垂れてくる安堵の色つやをながめ
冴えわたる胸腺一杯に

死の行為は重く
耳朶は光をおおい
噛み切られたひとすじの黒糸のような黙禱のなかで
単眼は精神の円卓を巡る

「死者の鞭」部分

「死者の鞭」は文学研究会から発行された「同志社詩人」第二号に掲載された作品であり、佐々木さんはその同人であった。当時、構造社版『死者の鞭』は京都書院や三月書房にも在庫がなく、京都市内の古本屋にも出ておらず、高田馬場の古本屋でようやく見つけて買い求めたことを昨日のように覚えている。そして舐めるように何度も読み返した。この詩集には憤怒と呼べるほどの怒りが、しつこく粘りつくように展開されていた。爆発し発散するような怒りではなく、憤怒が複雑に屈折しながら増幅され、次第に熱を帯びて動きだしてゆく詩行に圧倒された。

佐々木さんとは部室で一度顔を会わせただけであったが、その後文学研究会つながりで山内さんの結婚披露宴で同席した。「嬉しの」は鴨川沿いにあった料亭であり、畳の大広間にあがると、円卓に目出度い料理が並べられていた。私のすわった円卓には「同志社詩人」が集められており、各務默さん、佐々木幹郎さん、木下真理さんに加え、「同志社詩人」が廃刊後入部した麻雀仲間の私が座らされた。各務默さんは男の私から見ても美男子であった。佐々木さんは席に着くやいなや煙草を切れ目なく吸いつづけ、何やら怒りながら酒を飲んでいた。佐々木さんは横に座っていた各務さんに舌鋒するどく話しつづけ、各務さんはその話をにこやかに受けとめていた。話の中で唯一覚えている佐々木さんの一言は「手帖の原稿料は安い！」であった。佐々木さんの話ぶりは情熱にあふれ、私の目と鼻の先で、酒を飲み煙草を吸い続けているような迫力があった。

踏みしだく意志
ぬりこめる胸への一撃
わさび色に挽いていく一日の主張は

手のひらから裂けおち
まぶしい人差指は握りしめている
「踏みしだく意志」部分

その後、文学研究会のなかで、学園祭に詩誌「白鯨」の同人であった清水昶、藤井貞和、鈴村和成、倉橋健一、佐々木幹郎、米村敏人を呼び、北川透に司会を任せる荒唐無稽なシンポジュウムの企画がもちあがった。それぞれの詩人に手紙をだし参加を依頼したが、結果的に参加したのは清水昶と鈴村和成であった。そのとき佐々木さんから断りの手紙をもらった。その手紙には文学研究会の機関誌「朔」に掲載された作品を読んで「〈朔〉には気の弱い笑い顔が浮かんでいる、というのは言い過ぎでしょうか。ともあれ、反発するべき〈言葉〉の一行も抜け出てこないのはひとつの恐怖です。」と痛烈に批判された。私は大学卒業後、文学と縁を切り普通のサラリーマンに転身したが、三十数年を経ても佐々木さんのこの言葉は頭の片隅に残っていた。そして数年前に詩を書き始めてから「反発するべき〈言葉〉の一行」が書ききれているのか、自戒しながら詩を書き続けている。付け加えれば、社会人として三十数年をすごしてきた厚かましさもあり、詩のなかに「気の弱い笑い顔が浮かんで」いたとしても、それはそれでまたいいのではないか思っている。

話を元へ戻そう。私は神戸の講演会場の一番後ろの席で佐々木さんの話を聞いた。佐々木さんは四十数年前の京都・先斗町「嬉しの」の宴席と同じように本音を剥きだしにして話をしていた。その論旨は中原中也を例にあげて、自分の内面に醸造された詩の一行は、待つことによって熟成し、数年を経て屹立した詩として表出するということであった。その後の飲み会の席で、佐々木さんは大阪・釜ヶ崎で詩の朗読会に参加した話を面白おかしく語っていた。釜ヶ崎は関西屈指の労働者の集う街であり、本音と本音がぶつかる生活者の街である。聴衆のオッちゃん、オバちゃんは辛辣な批評家であり、良い詩は「おもろいわ！」と称賛され、良くない詩は「おもろない！」とこきおろされるとのことであった。この釜ヶ崎の詩論家たちを評価するところに佐々木幹郎の真骨頂を見たような気がした。

CYPRESS　14号　2016年3月

……………

日常のなかの非日常——季村敏夫

昨日のことは忘れてしまうのに、四十数年前の学生の頃の出来事はよく覚えている。大学に入学したもののキャンパスはバリケード封鎖されており、文学研究会の部室に顔をだしては遊び仲間を探していた。この部室で、四年ほど先輩の山内秀紀さん、本間敏子さんと顔をあわせ、烏丸上立売りにあった喫茶「六甲」でとりとめのない話をすることになった。この両先輩は難しい話をするわけでもなく、何の話か忘れてしまったが、私が「キムラさんが……」と言うと、本間さんから「岸田クン、季節の季村クンかウッドの木村クンかどっちやの、季村クンは『同志社詩人』に詩を書いていたけど、最近学校に来てないよ……」と言われた。季村さんには一度も会ったことがなかったので、「季節の季村クン」という一言が心に残った。この頃、季村さんはどのような詩を書いていたのだろう。

ぽかっと　とおく
裂けてしまった　僕の街
ズルズル　引きこまれながら
姿をかえる　流砂
そして僕
みてはいけないよ　とかあさんがうつむいた朝

「さむかった記憶のなかで」部分

この作品は『同志社詩人』創刊号（一九六七年）に掲載された。同じく二号に季村さんの「唄えない唄のために」と佐々木幹郎さんの「死者の鞭」が掲載されている。この作品を読むと、日常からずれた位置で葛藤がつづき、そのまま落ちこぼれてゆく寂寥感と不安を感じさせる。私は季村さんの作品にこのような印象を持ったまま大学を卒業し、文学からほど遠いサラリーマンに転身した。それから数年後、大阪堂島の毎日新聞社前にあった書肆青泉社で季村敏夫詩集『つむぎ歌　泳げ』（一九八二年）を見つけ、佐々木さんの栞「ここにこい、ここへ！」を読み、ああこれはあの季村さんの詩集かと思いすぐさま買い求めた。しかし学生の頃とは違い、ここに収められた「ひよこの庭」「青空斉唱」には切羽詰まった日常とその内面が描かれていた。

もう満開の借財は
あまりにも重すぎるから
みずが光を散らし
闇ばかりだから

「スローガンのままに」部分

この詩行を読むと、苛酷な現実が重すぎて、水が光を散らすほど日常は闇ばかりだという苦悶の声が聞こえてくる。『生者と死者のほとり』（一九九七年）の季村さんの略歴に「アルミ材料商を営む」と記されている。私の知る限りでは、アルミのロンドン先物相場は激しく動く、為替も動く、取引先の与信も動く、空売り残高にリスクヘッジ、振出手形に受取手形、銀行取引に資金繰り、不良在庫に流通在庫、利権に口銭等々色々ありすぎて「あまりにも重すぎる」日常が続くのである。この領域は判断を間違えれば全てを失くす怖さがある。『都市のさざなみ』（一九九一年）に収められた「小さなスケッチ」という作品の中で、倒産しかけた取引先の再建を銀行とともに取り組む話が記されている。また『木端微塵』（二〇〇四年）に収められた「山を下りる」という作品の中では、取引先の倒産と不渡り手形の顛末が記されている。おそらく目を瞑ればもろもろの数字が浮かび、酔いしれても手形が紙切れになる悪夢を見る、このような現実と対峙しながら、詩を書き続けることは至難の業である。季村さんの詩の言葉は、苛酷な現実と切羽詰まった日常の奥底へ落ちたところから選別されており、その作品には甘さがない。表層は日常を扱いながら、そこに書かれている世界は非日常の物悲しさが溢れている。

眠る前に水割りをつくった
開け放たれた窓から
崩れ落ちる氷の音が庭に転がった
首筋の花びらを払いのけながら
コップにうつる薄闇をのぞいていた

「銅脈者」部分

「銅脈者」とはならず者のことである。仕事の関係者と北新地かどこかの高級ラウンジに行き、飲んでも酔えず、疲れ果てて自宅に帰ってからの一齣である。コップにうつる薄闇には、季村さんの研ぎ澄まされた詩の言葉が浮かんでいたはずだ。詩の題材が不渡り手形であったり、倒産であったり、現代詩では取り上げられないモチーフであるから季村さんの詩が異彩を放っているわけではない。季村さんの詩は、これらの経験を通して自らの内面に深く入り込み、視界不能の闇の中から言葉を選び詩が書かれているから異彩を放っているのだと思う。特異な経験、異質な経歴、苛酷な状況をくぐりぬけた人だけが、優れた詩を書けるとは限らない。平凡に見える日常を掘り下げてゆき、自己の内面の奥底へ沈んだところから詩の言葉を発する作品には訴える力がある。それが平易に見える事象、平易な言葉で書かれていたとしても、心をうたれる。

「わが父の教えたまいし歌」部分

神戸に舞い戻ってからです。父の酔態を聞かされ、ぞっとしました。羞恥を通り越したおもいに襲われました。過ちといっても、傷ついたひとがいる。父の狼藉を知らされたとき、この過誤をどう受けとめればよいのか、ずいぶん悩みました。ぞっとしたおもいは、わが父の教えたまいし歌、そのことに気づくことを私はいつも避けてきた。

『ノミトビヒヨシマルの独言』（二〇一一年）に収められた一篇である。この詩集はボルネオから復員してきた季村さんの父と子の壮絶な葛藤が作品の中核をなしている。この詩集を上梓するまでに、季村さんは戦時中の歩兵第三六連隊・三七連隊の敗戦までの行軍過程を調べ、父上が転進した地域の戦況、兵士の日常等々の資料に当たるなど詩作の期間を含めて十年以上の歳月を要したと思われる。この父を慮る子の思いが溢れた作品、これは父上が亡くなられて数十年を経過したあとにたどり着いた心境であろう。我々の父親は皇軍兵士として召集され、敗戦後かろうじて内地に復員し、焼け野が原から戦後の復興をなしえた苦闘の世代である。『ノミトビヒヨシマルの独言』は父上の戦前、戦中、戦後の非日常の暗闇に入り込み、奥底に見え隠れしている自らの葛藤を詩に託した稀有な詩集である。

季村さんの学生の頃から今日に至るまでの長い詩歴の中に登場する事象は、学生運動、アルミ商社経営、家族、父と子の葛藤、戦争、大地震等々であるが、誰もがどこかで遭遇した出来事である。しかし季村さんのこれらの事象にかかわる内面の動きは、この小文では書ききれないほどの厚みと深さがある。その作品をたどると昭和・平成精神史と言える大きなうねりがあり、このような詩を書き続ける詩人は多く存在しない。

ＣＹＰＲＥＳＳ　22号　２０１８年10月

物質の中の生命現象――小野十三郎の詩

見えないものを実在するものとして浮かび上がらせることが、文学の面白さだと思う。日常生活を振り返れば「文学は絵空事」であり、「事実は小説より奇なり」であって、文学など何の役にも立たない愚物であると思う。だからといって目に見える現実や、目に見えなくても私の身の周りに存在する現実が全てかというと、それはそうではない。言語で表現されたもののなかには、浮世の現実を凌駕するほどの時間と空間に彩られた世界が存在している。

それでは俳句、短歌、詩、小説など文字によって表現される文学のなかで、目に見えない何かを表現するのに最も適した手法はどれかと問われたら、私は躊躇なく「詩」をあげたいと思う。俳句や短歌などの定型的な手法を用いて表現される時空も確かに存在する。俳句、短歌のなかには、諳んじることができる好きな作品はいくつもある。小説は森羅万象を物語として展開し、文学のチャンピオンとして君臨している。それに比べて現代詩は読者も少なく、このままいけば絶滅するのではないかと思えるほど浮世離れした存在になっている。私が現代詩にふれた六〇年代後半から七〇年代の半ばにかけて、本屋には現代詩の詩集が平積みされており、現代詩に無頓着な学生でも詩集を買い求める時代であった。ところが今や、詩集は一般の書籍に比べて価格も高く、その割には何が書かれているか分かりにくく、孤立無援の状況に追いつめられている。しかし詩には俳句、短歌では表現できない奥ゆきや、小説では捕らえきれないイメージを表現できる懐の深さがあると思う。詩は、決まったルールもなく、何でも有りなので、見えないものを表現するには最も適した手法のひとつである。私はエレクトロニクス言語を多用して詩を書いているが、俳句、短歌、小説の分野でエレクトロニクス言語を多用することは不可能である。これは詩に限り許されている手法だと思う。ただ「お前の書いている詩は、詩になっていない」と言われれば、そこで話は終わってしまう。この持ち味を生かし、複雑奇怪な浮世に軸足を置いて詩を書けば、詩はおのずと浮世を反映して難解となり、青息吐息で生活している普通の人が現代詩を読めば、さらに疲れてしまうため、読者はますます離れてゆくのだろう。

「物質に生命現象などありえない」という見解は誰もが思うことであり、とりたてて論ずる必要もない常識である。物質、宇宙、透視、炭素、クローム、ヴァナジュム、鉄、性能、生命現象……これらの言葉は科学技術用語であり、通常の詩に使われることはまれである。昭和二二年、小野十三郎は詩集「大海辺」を発刊した。その中に、これらの科学技術用語を駆使した詩がおさめられている。

物質はいま
怒りもて自らの宇宙を透視する
炭素や　クロームや　ヴァナジュムが
鉄に入ってその性能を強化する

かかるみごとな生命現象の例示を
ときおりわれらの「魂」共は忘却するのだ。

「精神と物質」部分

この詩は鉄の製造工程を題材にしており、鉄はバナジウムを触媒にして炭素の含有量を多くすれば硬度が上がるという物理現象をテーマにしている。この生き物のような物理現象を「魂」はときおり忘却すると言いきる小野十三郎に、見えないものを見続けてきた独自の詩精神を感じる。そしてこれらの科学技術用語を使用して詩を書く小野十三郎に、花鳥風月を愛でる抒情を排除しようとする意志を感じざるを得ない。「精神と物質」のような作品は「詩」が何でも有りの領域に入ることができるからこそ成立する表現形態だと思う。

昭和二十二年の時点で、「物質」が自らの宇宙を透視するという感性は何処ではぐくまれてきたのか。そういえば亡父は陸軍軍人として各地を転戦し、書棚には「我らの日本精神」などという本が残されていた。ところが敗戦後、アメリカの科学技術と物量兵站戦に敗北したことがトラウマになって、亡父は日本精神を捨て科学技術と物質文明の信奉者になっていた。私は亡父から幾度となく技術者になることをすすめられた。小野十三郎にも亡父と同じように敗戦のトラウマがあったのだろうか。小野十三郎は戦時中に海軍の船舶を作っていた藤永田造船所に勤務している。造船所といえば、鉄を加工し組み立てる巨大な物質工場である。小野十三郎はここで当時の科学技術の重要性、物質の多様性に触れたことは容易に想像できる。そしてこの会社の本社工場はアメリカの空襲によって被災したのである。

セメント
鉄鋼
電気
マグネシュウムら
寂寞として地平にゐならび

蒼天下
終日人影なし

「白い炎」部分

昭和十四年に発行された詩集「大阪」に収められたこの作品は、淀川か安治川の堤防に立ち大阪湾岸に林立していた工場群を眺めた時の印象を書いているのであろう。電気とは火力発電所の事だと思われる。当時の工場は生きているような轟音を発し、煙突からモクモクと煙を出していた。この工場群を遠目に眺める小野十三郎には、茫漠とした寂寥感が溢れていた。この寂寥感は自然の中に身を置いてわきあがる抒情ではなく、人工的な工場群や物質的なものを眺めて感じる抒情である。「白い炎」を読むと、小野十三郎は戦前から物質的なものの中に見えないものを見出し、それを題材にして詩を書く素地があったように思う。このような作風は俳句、短歌、小説にはできない小野十三郎の独自の表現形態であった。

CYPRESS　15号　2016年6月

詩神の化身――吉増剛造の感受性

瘦身で色が白くロングヘアの吉増剛造が演壇に立ち、かん高い声で学生に向けて何かを語り掛けていた。吉増剛造が何を話していたのか忘れてしまったが、優しい語り口であったことは覚えている。晩秋の京都、講演会の会場は四十数年前の同志社大学神学部チャペルであり、この日は女子大生の参加も多く、立ち見が出るほどの盛況ぶりであった。このチャペル講演会には『サンチョパンサの帰郷』の石原吉郎、『書を捨てよ街へでよう』の寺山修司、『暴徒甘受』の永島卓などの講演会も開催されていた。永島卓は汗を拭きながら、学生運動家がひしめく演壇に立ち、ひとこと話をすると緊張のあまり絶句し、五分ほど無言のまま立ち続けていた。会場がざわめき始めたので、学内の学生運動を仕切っていた学友会の司会者がこれ以上続けることは難しいと判断し、講演会は中止された。講師がひとこと話をしただけで講演が中止された例は、あとにもさきにもこの時しかしか知らない。今では考えられない事であるが、一連の詩人講演会の聴衆は他大学の学生も含め軽く百人をこえるほど盛況であった。そのなかにあって三田詩人の吉増剛造は、艶やかにして華麗な立ち姿で学生に対峙していた。そして講演の終わりに突然、自作の「燃える」を朗読し始めたのである。

黄金の太刀が太陽を直視する
ああ
恒星面を通過する梨の花!

風吹く
アジアの一地帯
魂は車輪となって、雲の上を走っている

ぼくの意志
それは盲ることだ
太陽とリンゴになることだ
似ることとじゃない
乳房に、太陽に、リンゴに、紙に、ペンに、インクに、夢に！なることだ
凄い旋律になればいいのさ

今夜、きみ
スポーツ・カーに乗って
流星を正面から
顔に刺青できるか、きみは！

それは詩論や理屈や何もかもすべてを超越するほどの朗々たる叫び声であった。まるで詩神が吉増剛造に降誕し、肉体の内側から発せられる生身の感受性を吐きだすような朗読であった。「燃える」は眩しい吉増剛造の剥きだしの感受性が言語に乗り移り、詩に化けていると感じられた。これは詩だけに許される表現形態ではないのか。

講演会が終わり、吉増剛造から「このあと詩について語りたい人は、喫茶店で話しましょう」という呼びかけがあり、烏丸上立売の「六甲」という喫茶店に十名ほどの学生が集まった。吉増剛造から「何か質問はありますか」と問いかけられたが、誰も質問せず気まずい空気が漂った。すると吉増剛造は「私の名刺を渡します」といい、私も宋書体のシンプルな名刺をもらった。それでも話が盛り上がらす、吉増剛造から「好きな詩人は誰ですか」と尋ねられた。周りの学生から中原中也、萩原朔太郎、宮沢賢治という大物詩人の名前が挙がるなか、私は「清水昶！」と答えてしまい、周りの空気が澱んだことを覚えている。それを聞いた吉増剛造の納得しているような優しい視線が忘れられない。当時の私は、暗いジャズ喫茶の片隅で何時間もアート・ペッパーやソニー・クラークを聞き続けている怠け者の学生であった。それだけに吉増剛造の詩は、あまりにも輝きに満ちており、自分の心情とかけはなれていると感じていた。

ああ
下北沢裂くべし、下北沢不吉、日常久しく恐怖が芽生える、なぜ下北沢、なぜ
早朝はモーツワルト
信じられないようなしぐさでシーツに恋愛詩を書く
あとは純白、透明
完璧な自由

「黄金詩編」部分

その後何年か過ぎてから東京に職を得て、横浜の日吉に転居した。ある日の休日、吉増剛造の「下北沢」を思い出し、渋谷から井の頭線に乗り下北沢駅で下車したことがあった。ここは小さな商店や飲食店が密集する住み心地の良さそうな町であった。私は

この頃から、ジャズ喫茶や現代詩から離れ、仕事に追いまくられる普通の男になっていた。それでも昔読んだ吉増剛造が身体の中に堆積しており、私を「下北沢」へ呼び寄せたのであった。ぶらぶらと街並みを歩いていると、突然私の身体から「黄金詩編」が噴き出してきたのである。詩集の表紙に描かれた直立する指に導かれ、そのまま「下北沢」の空へ消えてゆく快楽、その開放感はすさまじいものであった。いまでも吉増剛造の詩を読むと、自分の感性が解き放たれる快感を覚える。これこそ詩でなければ成しえない快楽領域だと思う。

ＣＹＰＲＥＳＳ　16号　２０１６年11月

歌の力――啄木の短歌

母は食卓で思い出したように石川啄木の短歌に節をつけて口ずさんでいた。そして嬉しそうに「この歌は女学校の教科書に載っていた」と解説してくれた。母は啄木の抒情に浸りたい気分になっていたのか、それとも女学校の楽しかった出来事を思い出していたのか、母は二十数年前に他界しており聞くすべもない。

東海の小島の磯の白砂に
われ泣きぬれて
蟹とたはむる

母のオハコはこの歌であった。しかしこの歌は子供心になんとも甘ったるいじくじくした歌であると思っていた。母がこの歌に節をつけて口ずさむときは、女学校で先生にあてられ教科書を元気よく読むような明るさがあった。恐らく母は啄木を口ずさみながら、楽しかった女学生の頃を思い出していたと思う。懐メロを聞くと、当時の情景が浮かぶような気分になるが、啄木の歌にも同じような力が秘められている。懐メロは詩に加えて曲がついており、立体的な抒情として受け入れられるため、時代性や個人的な情景を投影しやすい構造になっている。現代短歌には作者の内に秘めた固有の力があり、作品を読むたびに作者の独自の世界に引きずり込まれる。だから懐メロのように、自分を投影し初めてその曲を聴いた時代へさかのぼる気分にはなりづらい。しかし啄木の歌には懐メロに似た構造を内包しており、母は若き日の気分に戻れたのかもしれない。

母は東京荻窪生まれで、祖師谷大蔵の育ちであった。このあたりは今でこそ東京を代表する住宅地になっているが、戦前は地方から東京にでてきた中産階級の人々が住む農村地帯であった。折に触れて、雑木林に住みついているフクロウの話や、放し飼いにされている犬の話を聞かされた。縁あって母は大阪に嫁いできたが、東京に対する愛着は終生変わらなかった。当時の大阪では東京訛の人は本当に少なかった時代であり、母は故郷の訛である東京弁を話す人に出会うと大変うれしそうにしていた。

ふるさとの訛なつかし
停車場の人ごみの中に
そを聴きにゆく

この歌も母の好きな歌であった。私も若い頃から大阪を離れ横浜、名古屋、埼玉に移り住んだが、人ごみの中で大阪弁を話す人がいると思わず聞き入ることがあった。関東や中部圏のお笑い番組で大阪弁は盛んに放送されていたが、身近に純粋な大阪弁を話す人はほとんどいなかった時代であり、私も居酒屋でよくからかわれた。ただ仕事では東京弁も大阪弁も何の関係もなかった。この啄木の歌は地方を転々としたことのない人には理解できないかもしれないが、私も啄木のこの歌が好きであった。

友がみなわれよりえらく見ゆる日よ
花を買いきて
妻としたしむ

まだ若かった頃、大阪を離れて関東の地を渡りあるき、一人になると啄木のこの歌を口ずさんだ。私には花を買う余裕もなければ、妻もおらず、ただひたすら仕事に埋没する日々を過ごしていた。だから啄木をうらやましく思い、いつかこの歌のように帰るところがある生活をしたいと思っていた。地方から東京に出てきて、何とか身をたてたいと思っている独り者には心にしみる歌であった。
清水哲男に『啄木ぎらいの弁』というエッセイがあり、徹底的に啄木をこき下ろしている。冒頭から「東海の小島の磯の……」をとりあげ「好みの問題からいうと、いっこうに好きになれない歌である。「われ泣きぬれて」……か。大概にしてくれよ、といった感じなのである。」とため息を漏らしている。そして「啄木の失敗のすべては、彼の才覚をもってしても動かし得ない、三十一音というリズムの業のせいなのである。」と断じている。確かに啄木の作品はナルシズム過剰の気持ちの悪い歌も多数あり、代表作として扱われている「東海の小島の磯の……」も子供心に甘ったるく感じるほどの出来ばえであった。だから清水哲男の指摘に賛同せざるを得ない面も多々あると思う。ただ啄木の歌は今日まで生きながらえており、ごく最近NHKでその生涯をたどるドラマが放映されるほど普通の人には受け入れられている。啄木の歌は懐メロの歌詞と同じように行分けされており、三十一音のリズムにのって自分の節がつけられるぐらい感情を投影しやすい構造になっている。だからこそ今日まで生きながらえてきたと思う。「友がみなわれよりえらく見ゆる日よ」という人がいる限り、理屈を抜きにして啄木の歌は生き続けるであろう。

ＣＹＰＲＥＳＳ　18号　２０１７年6月

失われた墓碑銘——黒田三郎

私の両親は酒を飲まなかったので、家には酒ビンの類はどこにもなかった。ただ唯一、ホコリにまみれた料理用の日本酒があったので、母は酒飲みの親戚が来ると神棚の徳利でこの日本酒を燗してだしていた。私がまともに酒を飲み始めたのは、高校の同級生であった岸本勇人に誘われ、阪急高槻駅のそばにあった安サラリーマンが立ち寄る居酒屋に行くようになってからである。当時日本酒には特級・一級・二級というランクがあり、高校生には二級酒が精いっぱいであった。品質の悪い二級酒を飲めば飲むほど、胸が詰まり気分が悪くなるので、我を忘れて酔いしれる心境にはなれなかった。彼はその後、上京して岸本一遥と称し日本を代表するフィドル（バイオリン）奏者になった。黒田三郎を読み始めたのはその頃である。

どこか遠くの方から見ていたい
感動している自分を
感動して我を忘れてとんでゆく自分を
どこか遠くの方から見ていたい
息を切らしてしまってはいけない
よそ見をしてはいけない
心ひそかにそう念じながら
どこか遠くの方から見ていたい

「出発」部分

『失われた墓碑銘』に収められたこの詩を初めて読んだとき、感動している自分自身を見ているようだと思ってしまった。後年あらためて読み直してみると、これはとんでもない誤読であることに気がついた。黒田三郎の立ち位置は感動とは程遠いところにあって、この詩は苦渋の現実から逃れられず、そこからはるか彼方に逃れたいという願いを込めてつくられた作品だと思うようになった。

その頃いとこがＮＨＫに勤めていたので「砧の研修所にいる黒田三郎を知ってるか」と尋ねたところ「ああ知ってるよ、飲んだくれの落ちこぼれで、朝から酒の臭いをプンプンさせて何を言ってるのかよく分からなかった」と教えてくれた。『現代詩文庫　黒田三郎詩集』の木原孝一「誤説・黒田三郎論」に、酔ったあげく大型バスに衝突し病院に運び込まれたものの、翌朝まで意識不明であったというエピソードが紹介されている。私も長年会社勤めをしてきたが、仕事を忘れ、家庭を忘れ、最後に自分を忘れるほど大酒を飲む人は確かにいた。おとなしく大酒を飲んでいればまだましであるが、口論になり、物を投げ、手が出て人を殴り、料理人の包丁を取り上げて暴れまわる酔っぱらいもいた。そこまでして酒を飲む人は、心の中に抱えきれない暗闇があって、酒を飲むとエンジンがかかり暗闇が暴れ始めるような気がした。黒田三郎に大酒を飲ませ、詩を書かせる暗闇とはいったい何であったのか。

死のなかにいると
僕達は数でしかなかった
臭いであり
場所ふさぎであった
死はどこにでもいた

「死のなかに」部分

この詩はジャワ島の戦場の現実を書いた数少ない作品である。黒田三郎の祖父は薩摩藩士であり、父は海軍士官であった。この祖父は西南の役で討死している。おそらく薩摩藩士の血をひく黒田三郎はジャワ島で現地徴用された際、心を奮い立たせて入営したと思われる。『黒田三郎日記』に「大東亜戦争の最も心をふるいたたせるのは、それが対等若しくは対等以上の敵に対する戦いである」（昭和十六年十二月二八日）、「軍神、僕はひそかに軍神をたたえる詩をかきたいと思う」（昭和十七年三月七日）と記されている。これは当時の青年の普通の心情であった。『黒田三郎日記』に記されているが、戦争中の黒田三郎はニーチェ、ハイデッガーからマルクス、サムエルソン、さらに西脇順三郎、北園克衛などを読み漁る極めて幅の広い読書家であった。膨大な読書を通して戦争を客観的に捉える教養は身につけていたはずであるが、薩摩隼人として死を覚悟し、いさぎよく戦場で戦う心構えはあったと思う。それが軍人の家に育った者の矜持であった。ところが、戦場の現実は生地獄であり、多くの死に直面し、かろうじて生をつなぎとめて帰国したのであった。この軍隊の経験が戦後の黒田三郎の人格と詩に影響をあたえていることは容易に想像できる。私の亡父も陸軍野戦自動車部隊の一兵卒として中国、南方方面を転戦し、生死の境をさまよい帰国した。三度も招集され長く軍隊にいた割には、戦争の話は全くすることがなかった。父の遺品を整理していると戦後の戦友会とおぼしき写真が残されており、その会場はほとんどお寺であった。おそらく戦地で亡くなった戦友の死を鎮魂するためにお寺に集まっていたのだと思う。父は死を覚悟して戦地に赴きながら、おめおめと生き長らえているという気持ちがあったのか無かったのか、後ろめたさがあったのか無かったのか、今となっては聞くすべもない。父は戦争の生地獄と後ろめたさを忘れるために大酒を飲みたいという気持ちになってもおかしくはなかった。同じように黒田三郎が大酒を飲み詩を書き続けたのは、戦争の影にさいなまれていたからだと思う。

死んだ友へあてた手紙の書きかけを
抽斗の古い書反古のなかから見つけ出し
いたずらに抽斗のなかにほおりこむ
微風がゆるやかに屋上の旗に吹き
僕の耳あたりに吹く
微風の中で
ああ
ひそかに僕はこの数秒を耐える

「微風のなかで」部分

黒田三郎は戦争を思い出し、微風のなかで耐えている。黒田三郎の一連の作品には、落ちこぼれてしまった寂寥感と、何かを失くしてしまった喪失感があふれている。そして自分を責める自虐的な作品も多く残している。この寂寥感、喪失感は何も戦争をくぐりぬけた者だけが抱く感情ではない。戦争の形を変えた荒涼とした現代社会をくぐりぬけた者にも共通する感情である。鮎川信夫、田村隆一らの『荒地』にあって、黒田三郎は戦争の影を最も深く日常生活に至るまで引きずり続けた詩人であったかもしれない。

CYPRESS　20号　2018年2月

狙撃者の位置 ―― 石原吉郎のシベリア

風薫る五月、瀬田ゴルフコースで同業者のゴルフコンペが開催された。数年来の知人から誘われ、たまには同業者とゴルフに興じるのも面白いと思い参加した。ゴルフは四人一組で一八ホールを回る遊びであり、当日は知人とそのお嬢さん、さらに知人の会社でボイラーと濾過機の運転を担当していたYさんと一緒にラウンドすることになった。このYさん、身長は一七五cmを超えており、いかつい肩幅のうえに腕が太く、のし歩く姿は猛獣のようであった。さらに眼光は鋭く、大声で笑う割には目が笑っておらず、隙のない不気味な雰囲気を漂わせていた。どう見てもただのゴルフ好きのお爺さんには見えないYさんが、挨拶もそこそこに自己紹介を始めたのである。

「私は福山の漁師の息子ですねん、子供の頃から魚を食べて海で泳いでいたからこんな身体になったんですわ。年はなんぼに見えますか？　今年九二歳ですねん。戦争中は軍隊に引っぱられて満州に出征し、終戦直後からシベリアのラーゲリに三年間も抑留されました。生死の淵をさまよい帰国すると、お前は赤やというレッテルを貼られ、就職先もなく自力で水道設備の知識を身に着けたんですわ。ガハハハ！」このYさん、ゴルフクラブを満身の力を込めて振り回し、カートと称する電気自動車にも乗らず、野獣のようにフェアウェイをのし歩いていた。

なんという駅を出発して来たのか
もう誰もおぼえていない
ただ　いつも右側は真昼で
左側は真夜中の不思議な国を
汽車ははしりつづけている

「葬式列車」部分

遠い昔のシベリア鉄道に乗りながら不思議の国のゴルフ場を眺めているようなYさんの暗い視線、Yさんには真夜中のゴルフ場でただ一人ゴルフクラブを振り続けているような寂寥感が溢れていた。そして初対面の私が受け入れるかどうかは別にして、一方的にシベリアの抑留体験を話す赤裸々な態度、この心境に到達するのにどれほどの過去を捨てればいいのか私には分からなかった。石原吉郎も同じように過去の苛酷な体験を作品に書く心境になるまでには、気が遠くなるほどの諦念と葛藤の繰り返しがあったに違いない。石原吉郎の作品はシベリア体験を書いているように見えるが、シベリアの現実を踏み台にして自分の内なる夜汽車を走らそうとする冷徹な強さがあふれている。そしてこの夜汽車に乗れるのは、葬式行の切符を持って詩を書いている石原吉郎ただ一人であった。

私の亡父も陸軍軍人として、ニューギニアから満州までの広域を転戦したが、戦争の話はほとんどしなかった。戦争の苦痛は、家族が理解できるほど平易な体験ではなかったと思う。そのくせ野戦自動車部隊などの戦友会にはマメに顔をだしていた。おそらく亡父の中では、戦争はまだ生々しく生きており、過ぎ去った体験として客観的にとらえることもできなかったのだろう。九二歳のYさんは抑留体験を客観的に見つめなおし、普段は心の引きだしにしまっているものの、気がむけば抑留体験をこれでもかと他人に語りかける。この強さはいったい何だろう。石原吉郎の詩にも同じような人を近づけない図太さがあると思う。

暗い鏡のまえで
青銅の銃身を
しきりになめまわしていた
おお　わかい狙撃者の
かがやいた　その飢餓

「狙撃者」部分

この「わかい狙撃者」は普通に読めばソビエトの兵士になるのだが、私からみれば、見えない銃身を構えてソビエト兵を狙い撃とうとしているのは石原吉郎その人であった。「かがやいた　その飢餓」は強制収容所からのがれて帰国してからも延々と続き、詩を書きながら何かを狙い撃とうとしていた。石原吉郎が狙撃者として立つ「位置」に誰でも立てるかどうかは、難しい課題である。

しずかな肩には
声だけがならぶのではない
声よりも近く
敵がならぶのだ

「位置」部分

石原吉郎は詩集『サンチョ・パンサの帰郷』の冒頭に置かれた「位置」から、どのような「敵」を狙撃しようとしていたのか。それはYさんと同じように強制収容所に抑留された体験を見つめなおし、過酷を極めたかつての日々を狙撃しようとしていたのか、あるいは自ら選んだ運命ではなく、その場に居合わせてしまった刹那のいわれを狙撃しようとしていたのか。石原吉郎の作品には、本人しか分からない現実を凌駕するほどの「位置」が広がっている。この「位置」に私も立とうとしたのだが、石原吉郎の夜汽車に乗ることもできず、その果てにある「位置」に立つこともできなかった。石原吉郎の「位置」からすれば、自分を除くすべての現実が敵であり狙撃の対象であったのかもしれない。現実を凌駕するほどの詩、私もそのような作品を書きたいと思うのだが、私のような中途半端な諦念と葛藤の繰り返しでは、石原吉郎の域に到底到達することはできないと思っている。

CYPRESS　13号　2015年10月

真昼の星――吉野弘の詩

退屈な高校の授業の中で、現代国語は最も好きな科目のひとつであった。御多分にもれず教科書の中で初めて萩原朔太郎、宮沢賢治、三好達治、高村光太郎、中原中也らの作品にふれた。そのなかで唯一、現代詩の作品として吉野弘「I was born」が掲載されていた。この高名な作品の父と子の幻想的な会話、英文法と蜻蛉の生態について淡々と語り合い、子としての思いを綴ったこの詩の最終行に不気味さを感じた。

――ほっそりとした母の　胸の方まで　息苦しくふさいでいた白い僕の肉体――

そもそも私の高校生の頃の父との会話は、せいぜい野球かプロレスがいいところであり、この作品に展開されているような高尚な会話をすることはなかった。おそらく「I was born」は吉野弘が創作した詩的な物語なのであろう。この幻想的で不気味な作品にひかれて、わたしは大阪梅田の旭屋書店で思潮社『現代詩文庫吉野弘詩集』を買い求めた。吉野弘の幻想的な作品をさらに多く読みたいと思い初めて『現代詩文庫』を買い求めたものの、そこに集められた作品は高校生では理解できないサラリーマンのつつましい日常の思いがつづられていた。そのなかでも「日々を慰安が」などの哀愁に満ちた作品が心に残った。

「日々を慰安が」部分

明るい
機知に富んだ
クイズを
さみしいこころの人が作る。

その頃の私は「荒地」の鮎川信夫や田村隆一、学生運動の系譜であった清水昶、佐々木幹郎、異彩を放つ吉岡実、吉増剛造、吉本隆明などの作品を読みあさり、バイトの稼ぎを彼らの著作の購入につぎ込んでいた。また大きい本屋に行けば彼らの著作は平積みにして売られており、あの時代の先端を疾走する言葉が溢れていた。今にして思えば、あの頃は現代詩の言葉が最も輝いていた時代であった。そのような時代の流れのなかで、せっかく購入した『現代詩文庫吉野弘詩集』は本箱の片すみに置かれたままになっていた。もう一度、吉野弘を読み始めたのは、会社に勤めて五、六年を過ぎたころ、サラリーマンの垢が溜まり、浮世の風を冷たく感じ始めたころである。さらに所帯を持つと、高校生には理解できなかった市井に生きるつつましい日常を身をもって理解できるようになっていた。

ひかえめな　素朴な星は
真昼の空の　はるかな奥に

きらめいている
めだたぬように──。
「真昼の星」部分

この「素朴な星」のような信条で吉野弘はつつましい日常を過ごしていたのだろう。吉野弘は多くのサラリーマンと同じように出世をもとめず、社内にあっては自分の立ち位置をわきまえ真面目に仕事に取り組んでいたと思う。だから吉野弘の作品を読んで共感する人も多くいるだろうし、今日では岩波文庫『吉野弘詩集』も出版されており、詩を読まない人でも手の届くところでその作品にふれることができる。

ありようのない
サラリーマンの一人は
職場で
心を

無用な心を
昼の星のようにかくして
一日を耐える

「星」部分

このように一日を耐えるサラリーマンは今でも多く存在する。吉野弘が書いているサラリーマンの日常は誰でも身に覚えのあることであり、あえて詩集を購入して読むほどのこともないと思う人も多いと思う。サラリーマンは組織のなかで生きる人々であり、社内でも社外でも「滅私奉公」「敵の敵は味方」「弱肉強食」等々ひと皮めくれば、会社は利益を上げるための権力闘争の場であった。仕事が終わってから溜まりにたまったストレスを発散するため、居酒屋で組織をののしり、上司をけなし、自らの評価を嘆くサラリーマンが何と多いことか。私もサラリーマンを三十八年経験したが、生活は安定し、やりがいや喜びもあったものの、組織社会の裏側は嫉妬、怨念、憤怒、諦念の入り混じった泥だらけの世界であった。それをそのまま書いても、詩にはならない苛酷さがあった。帝国石油に勤務していた吉野弘はそれを重々承知の上で、きれいにさりげなくサラリーマンを詩に書いたのである。

やさしい心の持主は
いつでもどこでも
われにもあらず受難者となる。
何故って
やさしい心の持主は
他人のつらさを自分のつらさのように
感じるから。

「夕焼け」部分

思い当たるふしが無いわけではないが、私はこれほどきれいな心持ちで過ごすことはできなかった。吉野弘の詩を読んで諌められるサラリーマンもいるとは思うが、ある程度の経験を積んだサラリーマンが読めば物足らないと感じるはずである。私もその一人であり、三十歳をすぎてから吉野弘から離れていった。ここに、さりげない日常を描く吉野弘の詩の限界があると思う。四元康祐や嵯峨恵子はサラリーマンの苛酷な現実を冷静な批評眼で観察し、組織とそこにうごめく人々の嫉妬、怨念、憤怒、諦念を下から目線で「いじり」ながら描いている。上から目線の「からかう」作風では詩にならない、大阪弁の「いじる」という言いまわしが適切ではないかと思う。そこには哀切なユーモアに包まれた苛酷な現実があり、サラリーマンなら誰しも、また読みたいと思わせる普遍性がある。両氏の作品を、平社員からのしあがり財界の大物になった人物が「日本経済新聞」や「週刊ダイヤモンド」で称賛すれば、詩壇ジャーナリズムを飛び越えて、サラリーマン社会でブレイクする可能性を秘めている。

それにしても「I was born」は幻想的で不気味な作品である。この作品は第一詩集『消息』に収められているが、吉野弘はそれ以降このような作品を書くことはなかった。さりげない日常の中からエキスを拾い上げて租借し、そこに浮かび上がるイメージを何度もすり潰しては捏ね上げ、一切のしがらみを無視して自ら選択した言葉で詩を書けば、さりげない日常も異界の様相を呈するかもしれない。もし吉野弘が幻想的で不気味な作風に傾斜していたとすれば、また違う詩的展開をみせていたように思う。

ＣＹＰＲＥＳＳ　23号　２０１９年2月

愛すべき会社員たち ――嵯峨恵子の独自性

私は三八年会社員として過ごしてきたので、頭の先から尻尾までサラリーマンの血が脈々と流れている。勤めていた電気会社は二年ほど前に退職したが、今でも違う業種の会社に勤務している。私が詩を読み始めた学生の頃には、会社や会社員を扱う現代詩はほとんどなかった。ところが嵯峨恵子の詩は現代詩にしては珍しく、それを正々堂々と真正面から取り上げているのに驚いた。

先ごろ講談社から出版された「昭和の爆笑喜劇」ＤＶＤマガジンを一号から一〇号まで購入し、自室にこもってクレージーキャッツと植木等が大暴れする「ニッポン無責任時代」「日本一のホラ吹き男」「日本一のゴマすり男」等を見続けた。このシリーズが作られたのは昭和三七年から昭和四五年にかけてであり、日本経済は高度経済成長路線を一直線に上りつめてゆく時代であった。植木等を見ていると、この頃の会社員は無責任で適当にホラを吹きゴマをすっていれば、会社の中でどんどん出世し給料も増えてゆく時代であったのかと勘違いしてしまう。私の会社にも調子のいい社員はごろごろいたが、昇進レースから脱落していく社員も多かった。植木等のように面白いように出世する会社員は理想の姿かもしれないが、現実は厳しい。ただし調子よく出世して給料が増えればいいと考えている社員は相当多数いたはずである。植木等が活躍した高度経済成長の時代から成熟期の現在に至るまで、会社には表の陽のあたる場所と、裏の陽のあたらない場所があった。嵯峨恵子の詩に登場する会社の舞台は、裏の内々の世界であり、薄暗いけれども時々薄日のさす踊り場で物語が展開されている。

競争と名のつく社会に出て以来
要領と媚
から縁薄く

どこでも私は少数派だった　　　「通行人——大橋政人に」部分

嵯峨恵子の社内の立場がこの様な位置であったからこそ、会社とそこにうごめく様々な人々を突き放して冷静に的確に表現できたのだと思う。会社のなかで陽のあたる場所にいることを望み、出世することや権力や権限を多く持ちたいと願う会社員には嵯峨恵子のような詩は書けないと思う。この連中の前で、現代詩を読み自分も詩を書いていると言おうものなら、「あいつは内向的で軟弱な性格だから大切な仕事は任せられない」と切り捨てられた。そのまえに、詩を書くような奴は理解不能の別世界の人と思われたはずである。しかし権力志向の会社員も一皮めくれば、暗い内面を抱えており表向きの元気さ明るさとは裏腹の軟弱な小心者が多かった。地位を極めた大物は繊細で気が弱い割には、七転び八起き、ねばり強くプラス志向の人が多かった。嵯峨恵子はそのことを重々承知の上で愛惜をこめてその生態を詩に書き続けている。とりわけ組織の片隅に追いやられた会社員や、定年前後の老兵社員を見つめる眼差しは優しさに溢れている。

男は傾いたままゆっくり歩く
傾いて座る
傾いて立つ
ほおっておくと右肩が下がってしまう
聞けばパーキンソン病なのだという
そういえば　たくさんの薬の入った袋をいつも用意している
男は室長なので休むわけにはいかない

「傾く男」部分

長年勤めあげて室長になった男を痛々しく描いている。この詩では男の右肩が下がっていると書かれているが、私はこの室長の心の右肩が下がっているように感じられた。室長に昇進するまでには、右肩が下がるほど頑張る必要があったのだろうし、だからこそ一日たりとも休めなかったと思う。会社員の世界では売上や利益の折れ線グラフが

「右肩下がり」になれば「数字を上向きにする施策を打て！」と怒鳴られるので、「右肩下がり」という言葉にはマイナスイメージが込められている。そんな室長に嵯峨恵子はエールを送る。

男は室長としての責任と
会社員としての気概で
会社に来ている
たとえ傾こうとも
歩みが遅かろうとも
頑固に自分のやりかたで
日々仕事をこなす

「傾く男」最終部

私が在職した会社のなかでは、文学が好きで、現代詩が好きでという人物にお目にかかったことは無かった。本当に、完璧に、皆無であった。そんな人物もいたとは思うが、私と同じようにひたすら隠し通していたのだと思う。その姿は隠れキリシタンに似たものがあった。その禁制を破って、経団連の会長、大銀行の頭取クラスが、日本経済新聞か週刊ダイヤモンドに「嵯峨恵子の会社ものの詩を読めば、ユーモアに癒され、アイロニーに戦慄し、また読みたくなるのです」という論評を載せれば一気にブレイクする可能性を秘めている。それほど会社員に愛読される吸引力を嵯峨恵子の詩は持ちあわせている。嵯峨恵子は会社で任せられた仕事をこなし、自宅で会社の出来事を詩に投影するという離れ技をこなしている。私は、疲れ果てるか、憂さ晴らしに行くか、いずれにしても会社の出来事を客観的に見つめなおして詩に昇華させる余力を持ち合わせていなかった。

ＣＹＰＲＥＳＳ　10号　２０１４年12月

驚愕の詩人 ―― 杉山平一

杉山平一は私にとってはとても懐かしい人である。昭和四十年代の前半、毎日中学生新聞に詩の投稿欄があり、これなら自分にも書けるかなと思い詩を投稿したところ、選者杉山平一によって特選に選ばれた。中学生であった私は杉山平一という名前を知るはずもなく、有名な国語の先生だと思っていた。それ以降、「杉山平一」という名前は深く心に刻まれた。高校に進み現代詩に初めて触れた頃、思潮社の現代詩文庫や角川文庫版現代詩人全集を見ても杉山平一の名前を見出すことができず、杉山平一の詩やエッセイを読む機会を逸してしまった。そうこうしているうちに会社に勤めることとなり、詩や文学どころではない実利を追い求める世界にどっぷりと浸かることになってしまった。ビジネスの現場で詩や文学に親しんでいる自分を見せることは繊細な弱さを晒すことになりかねず、意識して文学の世界から遠ざかった。
それから数十年が過ぎて多少余裕もできた頃、東京の書店で『現代詩手帖　特集戦後関西詩』二〇〇三年六月号を手に取り、杉山平一・長谷川龍生・倉橋健一の座談会が掲載されているのを見てすぐさま購入した。うかつにもそこで初めて杉山平一が戦前から「四季」の同人であり、戦後も関西にあって長く詩を書き続けている詩人であることを知った。その後、『現代詩文庫杉山平一詩集』『詩への接近』『巡航船』『わが敗走』などを読み、杉山平一は驚愕の詩人であると思い知った。

もう私は書かねばならなかった
けふまで私は少年であった
しずかに　あのいっぱいの夢を
銅貨のようににぎりしめて
いつまでも　いつまでも

ゆっくり　ナイフを研ぎ
心をこめて　鉛筆を削つてゐたかったものを
新しい雑記帳よ　よごれないでおくれ
とがった芯よ　折れないでおくれ

「卒業に」

この詩は詩集『夜学生』におさめられた作品であるが、学校を卒業したあと、心をこめて削った鉛筆は折れてしまい雑記帳も黒く汚れてしまう予感を感じさせる。この詩集が出版された昭和十八年、杉山平一は父が創設した尼崎精工に勤務していたが、市井の人々の生活も戦争の暗い影に覆われ始めたころであった。『夜学生』は抒情を下敷きにして実生活と時代性が色濃く漂う多層的な詩集である。詩を書くことが実生活を支え、詩は実生活と時代性に支えられて成立する、このスタイルは易しそうに見えるが実生活が厳しければ厳しいほど難しいように思う。

疲れ切って　仰向けに寝る
おれは水たまりだ
うつし出される一日の記憶に
はずかしくなり
首をまげ　手足をちぢめ
大地の闇に吸われ　消えてゆく

「夜」

戦後の混乱期、尼崎精工は軍需工場から家電メーカとして操業を再開したようであるが、資金繰りや労働争議など工場経営はどの会社も困難を極めていた。「夜」という作品は工場経営に心血を注いでいるさなかに書かれたと思われる。その頃の実生活は『わが敗走』に詳しく書かれているが、生地獄とはこのことかと思った。とりわけ資金繰りや手形の始末に奔走する日々は、綱渡りとしか言いようのない状況であった。部品の代金回収に来た業者と交渉する際「若い掛け取りの社員の鞄の中に、アララギが見えたりすると、私は、話はちがいますが、歌をおやりですか、私も茂吉や佐千夫は好きでしてね、というと、相手は相好をくずして、歌の話となり話がなごやかになったりします。重苦しい実業に比べて、文化という空業のよさだと思います」（風浪）という対応をしていた。『わが敗走』を読むと杉山平一は尼崎精工専務として、また詩人、映画評論家として裏表なく活動していたようである。私もむかし、代金回収や手形の取り立てに奔走し、ある会社の社長と面談した際「俺は戦争中零戦のパイロットで、重慶の蒋介石に軍事物資を運ぶB29を撃墜する任務に就いていた」という話を散々聞かされたあげく、代金の支払いはしばらく待って欲しいと言われたことがあった。この社長は戦争中から今日まで、軍人として、さらに経営者として強くたくましく生きてきたと言いたかったのかもしれない。杉山平一はこの社長とはおもむきが異なり「文化という空業のよさ」を代金回収に来た業者に話しかける大胆さを持ちあわせていた。これは並の経営者にはできない矜持である。杉山平一はその頃を回想して「ものを書くこと、詩をつくることが逃げ場所になり、いつでも本当は詩が本職なのだ、と思うことで救われた」（わが心の自叙伝）と記している。私は自分の繊細な弱さを隠すことに必死であり、いまだにビジネスに携わっているが、職場で詩や文学にかかわる話は一切することはない。若い頃、取引先の設計主任から「自分は機械設計よりも、太宰治や中原中也を読んだりするほうが好きなのです」と言われたことがあった。私は「ああそうですか」と全く興味のないふりをしてこの話を終わらせた。私は杉山平一のように自分を裏表なくさらけ出す強さと度量を持ちあわせていなかった。ましてや仕事に疲れ果てた後、詩を読み書きする気力も余裕もなく抜け殻のように眠りについた。杉山平一は生地獄のような工場経営のさなかにあって、詩にかかわりつづける執念と粘り強さがあった。最終的に工場経営から身をひいたのは昭和五十六年のことであった。

「空」

地上から空へ投げる　空はゆっくり受けて、また力いっぱいなげかえしてくる。

この詩は平成十六年に上梓された『青をめざして』に収められている。何とおおらかですがすがしい空であるのか。この感性はのびやかであり、光のひだのように輝いている。

私は二度ばかり詩の会合で杉山平一の姿を見たことがあった。壇上に端座し簡潔に挨拶する姿は、戦前から「四季」の同人として詩を書きはじめ、同じく昭和の末まで工場経営に奔走し、二つの人生を生き抜いてきた風格が漂っていた。それから間もなくして九七歳で没したのである。平成二四年十月グランヴィア大阪でしのぶ会が開催され、この会場で私が勤務していた会社のK氏に遭遇した。K氏は謹厳実直、真面目な電気技術者で何度か会議で同席したことがあった。話を聞くと、K氏は杉山平一の令嬢の夫君であった。杉山平一は工場経営で生地獄のような苦労をしてきたので、おそらく自分の娘にはそんな苦労はさせたくないと思い、普通のサラリーマンであったK氏に嫁がせたと思った。その後、K氏と会う機会もあったが、私から詩の話をすることは一切なかった。

CYPRESS　19号　2017年10月

都市の中の海――江夏名枝の詩について

私は大阪で生まれ育ち、職を得てから東京、大阪、名古屋を転々とした。いわゆる都市で生活を営み、多くの歳月を電車に揺られて移動する日々をすごした。電車の窓から外を見ながら色々なことを感じたり考えたりしたが、外に見える人工的なビルだらけの都市の風景を見て、海が広がっているとしばしば感じることがあった。近鉄奈良線の生駒山の中腹から見える大阪の風景、東京中央線から見える新宿副都心や西に広がる住宅地などの風景が印象深い。江夏名枝の詩集『海は近い』は、この人為的な人工の極致ともいえる都市の風景や、その中で繰り広げられる様々な相克を、自然と同等の海に見立てる感性によって書かれているように思う。海について書かれたフレーズもあるが、それは都市の中で繰り広げられる様々な相克のメタファーのように思えてならない。詩集の冒頭を飾る極めて印象深い色彩感の溢れる詩行は、都市という海の中で詩を書いてゆく江夏名枝の心を込めた巻頭言である。

くちびるの声がくちびるを濡らし、青はまた鮮やかになる。
浪打ち際に辿りついて。
浪打ち際に辿りついて、ここに現れるのは、あらゆる心の複製である。

私は何度も『海は近い』を読み進めていくうちに、この「波打ち際」を都市の中に寄せては返す海の出来事と理解するようになってしまった。そのあと二十連にわたる物語が展開されるのだが、江夏名枝は巧みに過去の「心の複製」の相克を描き、その一方で過去を見つめている現在の自分を登場させている。

たとえば、ゆきずりの心など
雑踏のなかで所在なく足を止める女たちは、真鍮の身体にありったけのスミレを巻きつけて涙を流している。誰かこの心を奪い去ってくれないか、と。

雑踏のなかで足を止める女を真鍮という金属、すなわち無機物のように表現しているのだが、「この心を奪い去ってくれないか、と。」という展開になれば、この女は過去と現在の江夏名枝であると思わざるを得ない。江夏名枝は真鍮のように冷たく何かを喪失した過去の自分を見つめ、さらに涙を流すほど現在の自分を追いつめている。もちろん誰も心を奪ってくれないことを重々承知の上で、この詩行を書いているのだと思う。都市の中で生活をすることは、何かを捨て去ることの連続であり、冷たい金属のような心持ちにならなければ生きていけないとの認識はあまりにも厳しすぎる。私も通勤電車の中で我を忘れて組織の金属的な歯車になりきろうと思い悩み、駅の階段を上ったり下りたりした。

歩道橋で前を行く女のひかがみが青く浮き上がる。冷え切った人魚たち。

ひかがみとは膝の裏側のことであり、都市を歩く女の足を見ても、何かが剥げ落ちた冷たい人魚のように見えてしまう感性は喪失感にあふれている。それは最近の現代詩では見かけなくなってしまったプラトン的なエロスの相克が展開される作品のなかでも、美しいけれど残酷に描かれている。

あなたはゆっくりと上着を脱ぎ、冴えた眼で狩人の空気を呼びこむ。わたしは言葉の瓦礫をなぞりあげ、慣れ親しんだものたちのなかから姿を現す不慮の光に制圧されてしまう。

目を閉じて、難破船のあかりを探っている。波はいつでも眠りに似ていた。

エロスの相克が難破船や眠りに似た波のように、またたく間に過去のものになってしまう感受性に、あこがれに到達しきれない不完全な相克を感じてしまう。何かを求めても淡く消えてしまうエロスの相克、それでも「心の置き場所が同じであることに深く目覚めている。」のだろう。

この詩集の文体はさらりとしているように見えるが、読めば読むほどそうとも言えない不透明な粘りのようなものを感じてしまう。また正と反が繰り返され、螺旋状に上昇するかと思えば下降する複雑な構成の展開がみられる。

「いつも目覚めていたい」というもっとも深い欲望、そして深い眠りにありたい。均一な透明の陽に宿されて。

最終連に置かれたこの詩行を読むと、目覚めたいのか眠りたいのか、そのどちらも欲しているのかよく分からない。この、よく分からないという不透明感が江夏名枝の強さであり、『海は近い』という作品に深みをもたらしている。都市の中で喪失感に流され、エロスの相克に惑わされているだけでは生きてゆけないし、詩を書き続けることもできないだろう。

それにしても徹底的に言葉にこだわり、その言葉をつむいで絵画的なイメージを作り上げる手さばきは見事である。さらにいえばアート・ペッパーのアルト・サックスのような憂いをたたえた音楽性も備えている。詩集『海は近い』は様々な解釈をもたらす多様性を秘めており、私はこの詩集が都市詩集の傑作として読み継がれることを願ってやまない。

ＣＹＰＲＥＳＳ　７号　２０１４年２月

あの世とこの世——樋口武二『呼ぶひと、手をふるひと』について

夢の中で何かに追いかけられて逃げ惑い、恐怖のあまり大声をあげて目を覚ましたことが幾度もあった。あるいは山中の高速道路に追いつめられ、これは夢の中の出来事だから車ごと転落してもまだ生き延びることができると思い、アクセルを踏んでダイビングしたこともあった。私は浮世の出来事に追いつめられると、恐怖におののき遁走する夢を見ることが多い。目が覚めると後味が悪く、いやな気分にさせられる。これらの夢は現実から逃避したいという願望がありながら、逃げ切れずに苦しんでいる自分の生き写しであった。樋口武二の作品は幻想的であり、夢の中の出来事を書いているようにみえるが、私の夢と同じように自らの生き写しを作品のなかに投影しているように思えてならない。

文学の魅力は、現実のなかで我を忘れて非日常の世界に解き放たれ、自分を慰めてくれるところにあると思う。さらにいえば作品を読むよりも、作品を書く方が自己陶酔に浸ることができる。このような文学とかかわりを持つよりも、文学と無縁の平穏で平凡な生活ができればそれにこしたことはない。しかし文学の毒をあびると、そうはいかなくなってしまう。私は樋口武二と会ったこともないし、その経歴も知らないが『異譚集』以降の作品を読むと、我を忘れずにはいられないほどの来歴を重ねてきた人ではないのかと思ってしまう。

浮世にあって、自らの存在を無にして生き延びたいという思いは誰にでもある。若年の頃よりも、齢をかさね浮世の泥や垢にまみれた人ほどそのように思うのかもしれない。あれこれ現実のきしみやあつれきに耐えられず、現実から逃避したいと思い、この世のものとも思えない物語を紡ぐ、樋口武二『呼ぶひと、手をふるひと』はそのような散文詩集である。

だが、記憶のなかでは　誰かが雨に打たれながら泣いている　いや、手をふりつづけていた　あやふやな記憶の坂を登っていくと　やはり誰かが記憶の淵で、ゆっくりと手をふっているのが見える　そうか、やはりこれは、わたしを待っていたひとで、と、さらに、傘の内をのぞき込もうとすると　女の顔は　痩せた老婆のようになって　わたしを激しく叱責しはじめたのである　懐かしい声音で　待っていろと云われたから、ずいぶん待っていたのだけれど薄情だねぇあんたは、と、その老婆は歯茎だけの口をあけて笑ったのだ　降りしきる雨のなかで、おもわず後ずさりしながら、おぼろな名を告げると　やがて、老婆は髪の長い若い女に戻り　ひっそりと傘の内で微笑んでいる　雨は、さらに激しくなって、闇は、どんどん深くなる　もう、戻れないかもしれなかった

「何が起きているか分からぬうちに、」部分

ここに書かれている物語は、あの世の雨の降る日の出来事である。現実から遠く離れ静かな闇の中に現れた女の顔は白く無表情でありながら、その振る舞いはまるで生きているようにみえる。あの世の出来事と言いきれる証しは、女が老婆に変身したあと「待っていろ」と叱責された声を、「懐かしい声音」と表現しているところにある。この世で交わされる生身の会話を「声音」という人は誰もいない。あの世では、この世で叱責された声だけではなく、すべての出来事が「懐かしい記憶」として残るのだろう。それではなぜ樋口武二は、この世とあの世を行ったり来たりして詩を書いているのか。

運ばれていく　どうやら、捨てられるらしいのだが　理由はわからないままだ　幾つかの心あたりと　無数の悔恨で薄汚れた記憶に　いまさら、聞いてみたところで　何の意味も在りはしないのだろうが
とにかく、捨てられる為に運ばれている、と云うことだけは　動かし難い事実としてある

「理由なき迷走」部分

幻想的な詩集のなかでも、いささか説明的な表現になっている作品の一部を引用した。私は齢を重ねた本音が書かれていると思い、共感した。終戦の混乱期に生をうけ、生活のために必死に競争社会を生き延びてきたが、ここまできて浮世から捨てられるとあきらめている人は多いと思う。勿論、個人的には、失敗や遁走や人を傷つけたりした悔恨もあるだろう。その苦渋の現実が樋口武二に詩を書かせている。ただ現実をありのままに書けば、繰り言になってしまい文学作品とは言えない代物になってしまう。そこから言葉をひねって、こねて千度の窯で焼き締めて出来上がった詩集が樋口武二の作品である。そのこね方、ひね方が、あの世とこの世を行ったり来たりしているところに、現実から遁走したいという願いの強さが現れていると思う。

夢なのだ　これは夢に違いない　水とそれにまつわる物

語　きゅっとそれだ　闇のなかに　うっすらと光が射して
ようやく　周囲の風景が見えてきた　と、おもった　や
さしい声と、手が、ゆらりと私の顔の上に置かれていて、

「夢のなかに」最終行

樋口武二にとって浮世の現実はもはや夢の中にあるようだ。その夢とは、この世から遠く離れたあの世にあるのだろう。あの世の女の手が樋口武二の顔の上に置かれ、そのままあの世にとどまるのか、それともこの世に戻ってくるのか、私には判断することができない。少なくとも樋口武二は手をふりながら、私を夢の中に誘いこもうとしている事だけは間違いないように思う。

詩的現代　17号　2016年6月

エレクトロニクス言語による詩作について

私が現代詩にふれたのは四十年以上前のことで、角川文庫『現代詩人全集第十巻』の吉岡実「僧侶」を読み、こんな不気味な詩を書く人がいるのかと驚き、自分もこの様な詩を書いてみたいと思ったのが最初であった。吉岡実の作品には生まれ育った来歴や軍隊の経験などが色濃く反映されていると思うが、高校生では吉岡実の経験におよぶわけもなく、腐ったような現実を硬質な文体で眼の前に提示する吉岡実に圧倒された。ところがいざ自分が詩を書き始めるとなかなか筆がすすまず、もたもたしているうちに会社に勤めることになり、現代詩から三十数年離れることになってしまった。その間、時々講読していた現代詩手帖も買わなくなり、詩集は高価で買うこともできず現代詩と無縁の生活をおくることになった。

つとめた会社が電気会社であったため、朝から晩までエレクトロニクス用語が飛び交うどころか、飲み会や休日の風呂敷残業に至るまで詩的言語とは無関係の冷たい電気専門用語と向き合うことになってしまった。もちろん昨日まで吉岡実や鮎川信夫、清水昶を読んでいた文弱の徒にはエレクトロニクス用語が理解できるはずもなく、逆に嫌悪感を持つことになってしまった。最も苦手な世界に入ってしまった自分に嫌気がさして会社を辞めようと幾度となく考えた。ところが二年たち三年たつころから、技術者が話す内容や技術資料の詳細は無理にしても、ポイントが分かるようになってきたのである。英語の読み書きができなくてもアメリカに単身渡れば、いつのまにか英語の達人になれる感じとよく似ていると思う。なんとなく専門用語が理解できればなんとなく会話もできるようになり、ますます詩から離れて仕事中心の生活をおくることになっていった。

それから何年かを経て技術者と会議に出席したり打合せに同席したりしているうちに、技術者の製品開発の姿勢に詩や小説を創作する文学者と同質のものがあると感じはじめたのである。文学作品は同じ言葉を使っても作者が違えば、言葉のニュアンスや意味も違ってくるし文体も異なってくる。技術者の使う専門用語は明確に定義されている領域が多いものの、使う場面でニュアンスが違ってくる場合もあり、報告書や技術論文は技術者によって文体も異なってくるのは当たり前であった。文体こそ筆者の生身の姿がでてくる領域であり、電気製品の開発にかかわる設計思想が露呈するケースにしばしば出くわした。易しい事を複雑なレトリックを駆使して難しく書いたり話したりする技術者もいれば、難しい事を小学生の理科の教科書のように分かり易く書いたり話たりする技術者もいる。思いもよらない画期的な新製品をつくる技術者は徹底したアナログ人間であり、感情の起伏が激しく変則的な言葉の使い方と発想をする人が多かった。そのような人々と接していくなかでこの連中の言葉の使い方に、昔読み書きした現代詩に共通する言語空間が存在するような気がしてきたのである。たとえエレクトロニクスの専門用語であっても、吉岡実がその言葉をつかえば、一編の詩が出来上がるのではないかという妄想に捕えられてしまった。それほどまでに純粋な技術者の語る言語は、研ぎ澄まされた詩精神に充ち溢れていた。

夜の半導体の硬いパッケージの内に
鮮やかさを増してくる
秋のビームマスク
りんごや梨やウエハーの類

この四行は吉岡実「静物」の一部をエレクトロニクス言語に置き換えたものである。吉岡実の愛読者からふざけた言葉遊びもほどほどにしておけと怒られるかもしれないが、勤務中にこのような妄想にしばしばとりつかれた。

こんなことを朝から晩まで考えていれば仕事も手につかず、時どき目をつぶると会社の席に吉岡実や清水昶が顔をだすのであるが、仕事が忙しすぎてすぐに姿を消してくれた。会社勤めも定年に近づき最終コーナーを回りかけた頃、すなわちエレクトロニクス言語に三十数年まみれた頃、この妄想を詩作品として書いてみようと思い立ち、勤務時間中に会社のパソコンに向かって詩を書き始めた。当時の私の席は窓際にあり、他人から画面をのぞかれる心配がなかったので心おきなく詩作に没頭できた。他人から見れば、何か重要な報告書でも書いているのかと思われていたかもしれないが、これが私のエレクトロニクス言語を多用した詩の書き始めであった。

その後二年ほどかけて書きためた拙作を纏め詩集『メカニックコンピュータ』として出版した。工学系の言語を使った作品が詩として成立するのか、自分ではよく分からない。しかしこれからも、見える物を定義しているエレクトロニクス言語を幾つも連ねることによって、見えない何かを詩の中で表現してゆきたいと思っている。

詩的現代　5号　2013年5月

現代詩に触れたころ

昭和四〇年代の後半の大学キャンパスは学生運動も下火になっており、バリケードも撤去され面白くもない授業に出席する学生が溢れかえっていた。高度経済成長はまだ続いており、それほど勉強しなくても普通の会社に就職できる時代であった。それをよいことに学校に行っても授業に出席せず、せっせと学生会館五階の文学研究会の部室に顔を出した。現代詩に触れたのはこの頃であり、部活の先輩であった清水昶や佐々木幹郎が時代の寵児として発熱するほど熱い詩を書いていた。両氏の作品は現代詩手帖などで読む機会もあったが、それだけでは物足らず両氏の詩集を求めて京都書院や三月書房を訪ねたが売り切れており、三月書房の店主であった宍戸恭一さんから版元にも在庫が無いと言われていた。京都には数え切れないほどの古書店があり京大や御所周辺、河原町通りの古書店をくまなく探しまわったが影も形も無いのである。先輩や友人と寺町御池の喫茶「再会」や四条河原町裏寺筋の酒房「静」へ行くと「清水がどうの、佐々木がこうの」という話題がでても、作品を読んでいないから黙って話を聞くしかないという悔しい思いをした。ある時、同級生のI君の下宿で清水昶『少年』を見せてもらった時の熱い気分をいまでも覚えている。段ボールの箱から取り出された正方形に近い白い装丁の詩集、高級なつるつるしたアート紙には「死顔」「男爵」「せむし男の肖像」などが印刷されていた。I君は『少年』を古書店で見つけてその場ですぐに有り金をはたいて買い求めたという。私からすれば、I君は幸運な男に思えてならなかった。

それほど詩集がもてはやされていた昭和四六年十二月に清水昶『朝の道』が出版され、あわてふためいて京都書院で平積みされている一冊を買い求めた。この詩集に収められた「夏のほとりで」は今でも好きな詩のひとつである。その後、昭和四七年十月に『少年』の新装版が発行された。清水昶もエッセイに書いていたと思うが、新宿紀伊国屋で『少年』は平積みにして販売されており、販売部数のベスト一〇にも入るほどの売れ行きであったらしい。私もようやく清水昶の詩集を手に入れ、舐めるように何度も大切に読んだことを覚えている。

『少年』を入手する以上に困難を極めたのが佐々木幹郎『死者の鞭』であった。京都や大阪梅田の古書店を探しまわっても何処にも置いておらず、おそらく古書店の店頭に出ても運のいい奴に買い占められて貧乏学生の前にはなかなか姿を現してくれなかった。昭和四八年の夏、早稲田に在学していた従兄が鮎川信夫の甥と親交があり、高田馬場の居酒屋で初対面にもかかわらず三人で安酒を浴びるほど飲んでしまった。私は不覚にも酔いつぶれて従兄の下宿で意識不明になってしまう。遠くの方から「京都の詩人も大したこと無いね」という声が聞こえていた。翌日の昼過ぎに眼を覚まし、立ち食いそば屋を探しに明治通りを歩いていると一軒の古本屋があり、何気なく入ってみると驚いたことに『死者の鞭』が置かれていたのである。悪酔いも吹っ飛び、京都へ帰る電車賃も糞も味噌も関係なく、全財産を絞り出してようやく『死者の鞭』を買い求めることができた。

昨年の秋、ぶらぶら神田の古書店めぐりをしていると虔十書林で清水昶『少年』初版本を見つけ、飛び上がって購入した。I君の下宿でこの詩集を手にしてから四十数年が経過し、ようやく自分の手に入ったことを大変嬉しく思っている。

CYPRESS　1号　2012年10月

II

闇の中に光る眼　─　菅原文太について

先頃、俳優の菅原文太の引退が発表された。彼は昭和八年の生まれだから、もう八十歳に近く引退もやむえなかったのかもしれない。最近の菅原文太のイメージは、私生活では農業に従事し自然保護の活動に熱心な白髪の頑固オヤジであり、俳優としてはNHK大河ドラマの武将役や渋い刑事役が似合う老練な名脇役であった。しかし私の知っている菅原文太は、そんなイメージとはほど遠い、無口で暗いヒットマンのような男であった。

昭和四十年代の終わり、東映京都撮影所のヤクザ映画のエキストラは、日雇い労務者と同じように仕事が終わると日銭がもらえる貴重なバイト先であった。麻雀の負けが重なり支払いができずに困っていた時、先輩から紹介されたのが東映京都撮影所のエキストラであった。「マスのおばちゃん」というエキストラ専門の手配師に電話をして指定の日時に撮影所へ行くと、「マスのおばちゃん」から「あんたが岸田君やな、あんたは髪の毛短いからヤクザに行って！」と言われてヤクザ映画の撮影現場に放り込まれた。この素人には全くわけのわからない場所こそ、昭和四八年一月に封切られた「仁義なき戦い」第一作の撮影現場であった。長髪の学生は「銭形平次」や「木枯らし紋次郎」などのチャンバラに廻されていた。この「仁義なき戦い」という実録に近い作品は、鶴田浩二や高倉健が主役を演じた任侠路線に終止符を打ち、その後の実録物ヤクザ映画の骨格を創り上げた画期的な作品になった。

今も現存する東映会館と呼ばれた建物は迷路のような作りになっており、初めてバイトに来た学生には撮影現場がどこにあるのかまったくわからない複雑な構造になっていた。ここかと思いドアを開けたところに大きな鏡がしつらえてあり、その前で衣装を整えていたのが松方弘樹であった。今から四十年前の松方弘樹はスラリとした美男子で当時珍しかった黒いタイツを履いていた。思わず「失礼しました」と詫びを入れて、うろちょろしながら何とかたどりついた場所が広島市議会の乱闘シーンの撮影現場であった。真正面から眼光するどい男が金切り声を上げて細かい指示を出しており、この男が若き日の深作欣二監督であった。このシーンは良識派とヤクザ派の市議が傍聴人を交えて乱闘する場面であり、私はヤクザ側の傍聴人としてプラカードを振り回す役目であった。放映時間は三分程度であったが、撮影には待ち時間も含めて二時間はかけたと思う。撮影所の中は天井が高く広々としており、秋から冬にかけての撮影現場は薄暗くて極めて寒かった。どの場面で菅原文太と遭遇したのか忘れてしまったが、あるシーンの撮影が終わったあと、休憩時間にもかかわらず、拳銃を片手に持ち煙草をふかしている菅原文太の眼は野獣のような異様な光を放っていた。そして何も話さないのである。少し離れた場所で金子信雄や渡瀬恒彦が談笑している仲間にも入らず、ポツリと一人離れたところで何かに怯えて引金をひきそうな面構えで煙草をふかしていた。

そのあと昭和四九年四月に封切られた「山口組外伝九州進攻作戦」で再び菅原文太と共演?する事になった。菅原文太は「仁義なき戦い」が大ヒットしたおかげで、鶴田浩

二、高倉健につづく東映ヤクザ映画のトップスターにのし上がっていた。この映画は別府温泉の工事現場で梅宮辰夫が撃たれるシーンから始まるが、その後ろで材木を担いでいるのが私である。木枯らしが吹く冬の日、京都駅にほど近い路上でロケ撮影する機会があり、夜桜銀二役の菅原文太とその他大勢の中にいる私がすれ違うシーンを撮影する事になった。菅原文太が誰かに追われて走って逃げる路上で、ぼやぼやしていた私の肩と菅原文太の肩が激しく接触したのである。ガツンとぶつかった時、菅原文太が拳銃を抜き私は射殺されるような恐怖を覚えた。カットが入り休憩時間に入ると、菅原文太は相変わらず現場の片隅にポツリと一人で座り煙草を吸うのである。ヤクザ映画のトップスターが無口で何も話さず、人を刺すような暗い眼をしてまどろんでいた。後年テレビに出演して笑う菅原文太の顔を見た時、私は本当に驚いた。私の知っている菅原文太は笑うことなど全く無い、ヤクザを地金で演じる狂気の男であった。

CYPRESS　2号　2012年12月

闇の中に光る眼　二

ヤクザ映画の面々たち

東映ヤクザ映画の任侠路線は昭和三八年の鶴田浩二主演「人生劇場飛車角」から始まっている。私も京都の祇園会館や京一会館のオールナイト三本立てを見にゆき、スーパースターの鶴田浩二、高倉健、藤純子に喝采を送った。映画館のなかは煙草の煙と酒の臭いが充満しており、大向こうから「健サン！」という声もよく掛っていた。この三人は散りぎわの美学をわきまえており、混沌とした時代に義理と人情のあだ花を咲かせていた。この時代を風靡した任侠路線も昭和四十年代後半に入ると人気が陰り始め、中堅俳優の菅原文太を主演にした「仁義なき戦い」が実録物の主役として登場した。私がエキストラとして東映京都撮影所に出入りしたのはこの頃である。

私が出演?した映画は「仁義なき戦い」と「山口組外伝九州進攻作戦」であった。主役や主役と同格でテロップに大きく名前が出る俳優が上級であり、脇役が中級、その他大勢として名前がでる大部屋俳優が下級、私のような毎日現金が欲しくて集められたエキストラが最下級の扱いであった。それぞれの階級のなかにはさらに歴然とした序列があった。しばらくしてから下級の八名信夫、川谷拓三、志賀勝らはピラニア軍団と称しテレビにもよく出演するようになった。私は最下級のさらに下であり、エキストラから映画俳優を目指している学生くずれに声をかけられ「お前は熱心にやっとるけど、このままエキストラ専門の俳優になったらどうや」と勧められた。同じエキストラでもこの学生くずれのようなベテランはカメラに近い最前列に立ち、銀幕に映る機会をうかがっていた。ある時、何人かのエキストラがホロ付きのトラックで夜の衣笠山の裏につれていかれ、ヤクザの子分として機動隊につかまり手錠を掛けられるシーンの撮影があった。手錠を掛けられ煌々とライトに照らされてパトカーに載せられた時、自分はこんなところで何をしているんだ、こんな不様な姿をスクリーンに映しだされてもいいのか、この時ばかりは心の底から情けない気持ちになった。

撮影所のなかは階級によって扱いが明確に分かれており、大川橋蔵は運転手付きの黒塗りベンツで来所しニコニコ笑いながら会社重役の雰囲気をただよわせて正面玄関から個室に入っていた。鶴田浩二や高倉健、藤純子も個室組である。冬の撮影所のセットにはストーブがしつらえてあり、その回りにたむろしていたのが梅宮辰夫、渡瀬恒彦、山城新伍などの中堅連中であった。梅宮辰夫の顔には切り傷があったと思うが、赤いジャケットに裾の広がった白いバギーパンツをはきこなすカッコいい不良青年であった。撮影の合間、お湯をはりつめたカップ麺を持つ梅宮辰夫にバイト仲間の腕がぶつかりお湯がこぼれた時、梅宮辰夫は「ああいいよ」と言ってその場を立ち去った。梅宮辰夫の顔はヤクザであったが、所作は育ちの良い貴公子のように見えた。休憩中に金切り声をあげて騒ぎまわっていたのが山城新伍であった。山城新伍はテレビの「白馬童子」の主演以降くすぶっていた時期であり、「撮影はハヨ終りにして麻雀やろ」とか「祇園にきれいなねえチャンのいる店見つけたからハヨ行こ」などと遊び仲間を誘っていた。その遊び仲間が川谷拓三や志賀勝であった。後年、山城新伍が「きつねどん兵衛」のテレビC

Mに川谷拓三や志賀勝と共演したのはこの時の縁であると思う。山城新伍と正反対が渡瀬恒彦であり、彼を始めて見た時は東映の経理担当者が撮影現場に入ってきたように見えた。渡瀬恒彦は元電通の社員であり、会社員の臭いをそのまま撮影所に持ち込んでいた。岡田英次は久我美子と共演した「また逢う日まで」で一躍トップ俳優にのし上がった名優であり、銀幕では品の良い雰囲気を醸していたが、撮影所の中では背中の曲がった腰の低いお爺さんであった。私が言うのも失礼極まりないが、岡田英次は華の無い俳優に見えた。津川雅彦も共演したが、休憩時間の思い出が残っていない。さっさと撮影現場から退散して地元の京都の町中を徘徊していたのかも知れない。無名俳優の連中は、ストーブなしの撮影ライトの灯る明るい場所にたむろし、掛合い漫才のような世間話に興じていた。

下級のさらに下である日雇いエキストラは、ストーブに当たることも許されず、座ることも許されず、暗い撮影所の片隅で立ったまま煙草をふかして時間を潰していた。同じように寒い撮影所の片隅の椅子に座り、まばたきもせずに暗い目を光らせて煙草をふかしていたのが東映ヤクザ映画のトップスター菅原文太であった。

CYPRESS　3号　2013年2月

闇の中に光る眼　三

ヤクザ映画の女たち

実録路線のヤクザ映画の撮影現場は端から端まで男だらけであり、女性の姿はどこにも見当たらなかった。私が初めて出演したヤクザ映画は「仁義なき戦い」の広島市議会の乱闘シーンであった。この現場には角刈りや坊主頭の目つきの悪いお兄さんがごろごろしており、そのなかで深作欣二監督が金切り声を張り上げている壮絶な男の世界であった。回りには俳優やエキストラ、カメラマン、大道具から小道具、照明係まで五十人ぐらいの男がひしめきあっていた。ふと気が付くと、ただ一人色気も何も無い普通のお姉さんが忙しそうに動き回っている姿が目についた。この人は回覧板のような厚い台紙に紙の束を載せて、何やら忙しそうに鉛筆を動かして現場の状況を逐一メモしているように見えた。このお姉さんは映画製作の記録係、スクリプターと呼ばれる重要な仕事をしていたのである。映画はバラバラのカットを撮影し、後で編集して一本の作品になる。そのため撮影現場で俳優のセリフや衣装、背景、撮影時間などを記録し、後々の撮影や編集の指標にしている。黒沢明の「羅生門」に記録係として参加し、その後の黒沢作品にすべて参加した野上照代などは、世界の黒沢も頼りにした名スクリプターであった。

肝心のヤクザ映画の女優について書かなければならない。ところが私の出演した「仁義なき戦い」も「山口組外伝九州進行作戦」もむせるほどの男の世界で、残念ながら女優と共演?する機会は皆無であった。ヤクザ映画につきものの濡れ場のシーンはプロの俳優だけで撮影されており、エキストラはお呼びでなかった。たまたま撮影所の入口で遭遇した有馬稲子は妖艶な笑みを浮かべ、貧乏エキストラを寄せ付けない大女優の雰囲気を漂わせていた。この頃の有馬稲子は三十代半ばであったと思うが、とびきり貫禄のある美人女優に見えた。

そのなかで唯一、撮影現場で一緒になった女優が中村英子であった。中村英子と言っても今や忘れられた女優かもしれないが、ポスト藤純子の五千人の公募から選ばれたスタイリッシュな超美人女優であった。どこでどうなったのか忘れてしまったが、夏目雅子を不良にしたような中村英子が休憩時間に撮影現場の片隅に来て、ヘトヘトに疲れ果てた私の目の前で突然腰をおろしたのである。その椅子は木製で建設現場の足場に使う様なお粗末なものであり、ポスト藤純子の女優のお尻を載せる様な代物ではなかった。そして付け人と世間話を始めたものの、一方的に中村英子が話すだけの、どっと疲れる話しぶりであった。自分のことを東京訛りで「エイコ、エイコ」と連呼する新人女優は、撮影の待ち時間が長すぎて暇をもてあまし現場に顔を出していたのである。私は突然話しかけられたらどうしようかと、ドキドキしながら「お兄さんは学生さん？」と声を掛けられるのを待っていた。この中村英子の立居振舞は、自意識が強く人に指図されるのが嫌いな気ままなお嬢さんのように見えた。ポスト藤純子の女優であれば、有馬稲子と同じようにエキストラなど寄せ付けない輝くほどの威厳があってもよかったと思う。

私が東映京都撮影所に通い始めた昭和四十年代後半のヤクザ映画は、義理と人情の任侠路線が下火になり、権力を握るためには手段を選ばず、暴力と金と談合でのし上がる実録路線の時代であった。この実録路線の時代認識は、高度経済成長の日本の社会に台頭してきた実力主義を反映したものであって、その当時の多くの人に受け入れられた。いまでも菅原文太と同じように心の中に見えない拳銃を隠し持ち、混迷を極める社会の中で成り上がろうとしている人は大勢いる。そのなかで社会的に成功をおさめ、勝ち残れる人は極わずかである。しかし、半世紀前の「仁義なき戦い」の消耗戦に描かれている通り、何をもって勝ちと言えるのか甚だ不可解な現実がある。「仁義なき戦い」は大ヒットが続き、全八部作の大型シリーズになった。この一連の作品は目先の消耗戦に明け暮れていると、誰もいなくなってしまうという現代社会の病巣を描いていた。「仁義なき戦い」はそのような社会の在り方に、警鐘を鳴らしているように思えてならないのである。

CYPRESS　4号　2013年5月

映画「プリンセス・トヨトミ」に出演して

　大阪の地下鉄谷町六丁目駅を降りて、谷町筋を大阪文学学校方面に歩いていくと、空堀商店街の入口にさしかかる。この地域はその名の通り、豊臣秀吉の築いた大坂城の一角であり元々はお堀であった。空堀商店街は大阪では珍しく谷町台地の傾斜地にへばり付くように広がっている。ここでお好み焼き屋を営むオヤジが、真田幸村の末裔で大阪国総理大臣・真田幸一こと中井貴一である。豊臣家臣団の末裔が秀吉のプリンセスを守るために社団法人ＯＪＯを隠れ蓑にして大阪国を設立したのであるが、会計検査院の松平元こと堤真一と激しく対立する。そのクライマックスシーンが大阪府庁正面玄関で撮影された。この建物は大正十五年に竣工した名建築で、正面玄関から大坂城天守閣が一望できる。夕陽に照らされた天守閣を背にして仁王立ちの中井貴一と堤真一の激突する場面に、私は大阪国の一員として出演？したのである。

私は今から四十年ほど前に封切られた「仁義なき戦い」や「山口組外伝　九州侵攻作戦」にもエキストラとして出演した経験があり、久々に映画撮影の現場に立ち戻り少なからず興奮していた。東映のヤクザ映画は京都撮影所で製作されており、ロケを含めて京都でほとんど撮影されていた。今回の舞台は豊臣秀吉の大坂城と橋下徹知事の大阪府庁でありヤクザ映画にはない高揚感があった。万城目学の小説「プリンセス・トヨトミ」は平成二三年五月に映画化されたが、撮影は一年前から進んでいた。ネットにエキストラ募集の広告が載っており、「男だけの大阪国の国民を募集、背広のオジさん大歓迎」と書かれていた。私は映画の出演？経験もあり、三十数年会社員をやってきたので「これは俺のはまり役！」と思い喜び勇んで応募した。撮影日は八月のお盆の真っ最中で、吹き出す汗が止まらない高温多湿の夕方であった。地下鉄谷町四丁目駅を降りると、周りは右も左も男だらけの五千人のエキストラ集団が大坂城の大手門を目指して歩いていた。これこそ、大坂夏の陣以来の大軍団の襲来であったと思う。大坂城内に入ると大きなテントが幾つも設営してあり、受付を済ませてから弁当とペットボトルをもらった。撮影開始までは時間があるといわれ、私は早々に弁当を平らげ、大手門の横にある城壁に腰をおろしてひたすら待つことにした。城壁の下にある広場には多数のエキストラがたむろしており、野営の様相を呈していた。暗くてよく分からなかったが、五千人かどうかは別にして、少なくとも三千人以上は集まっていたと思う。男だけの募集と思いきや女性も参戦しており、あちこちから「いつまで待たせるんや！」という黄色い声があがっていた。あまりにも待ち時間が長いので、弁当だけ食べて帰った人も大勢いたと思う。

夜の七時頃ようやく撮影開始となり、エキストラ軍団は何列かに並ぶように言われ、隊列を組んで向かいの大阪府庁正面玄関に向かって行軍を開始した。私は中ほどの隊列にいたが、この位置では映画に映らないと判断し、正面広場に着いてから周りの人をかき分けてどんどん前の位置にポジションをすすめていった。これも「仁義なき戦い」の広島市議会の乱闘シーンに出演した経験があったからできた離れ技？である。前から十番目ぐらいに進んだところでお医者さん、土木作業員、調理人、警察官のカッコをした人々に阻止されてそれ以上に前へ進めなくなった。この連中はプロのエキストラの面々である。東映ヤクザ映画でも「ピラニア軍団」と呼ばれたプロのエキストラ集団が活躍していた。私は一時期東映京都撮影所に通いつめていたので、一目見て正面玄関に陣取るこの連中はプロであるとすぐわかった。しばらくするとサングラスのフロアディレクターらしいお兄さんから言葉巧みに「皆さんは大阪国の国民です、会計検査院の不埒な振る舞いに怒りの声を上げてください。ワンカットごとに練習をしますから、私の指示に従って下さい。」と指導を入れられた。ここで正面玄関の最上段に登場したのが真田幸一こと中井貴一であり、そのあと松平元こと堤真一が壇上に姿を現した。中井貴一から、汗を拭きながら集まった五千人のエキストラに向けて「僕は大阪の人と街が大好きです、良い作品を作りたいので皆さん一緒に頑張りましょう」と挨拶があり万座の拍手をあびていた。これはエキストラをその気にさせる一言であった。このあと、練習と本番が延々と繰り返されることになる。カメラと照明は四セットあり、照明に照らされるポジションが映画に映る可能性があるので、うろうろと立ち位置を変えたりした。壇上では中井貴一と堤真一が言い争っているのだが、何を言っているのか全く聞こえなかった。ヤクザ映画では、私が拳銃を磨いている横で津川雅彦が「これからドンパチや」と叫んでいた。そうこうしているうちに、大阪府職員役の甲本雅裕や財団法人経理担当役の笹野高史などが壇上に現われ会計検査院側と激しく論争をはじめていた。これまた何を言っているのかさっぱり分からない。壇上の陰には会計検査院鳥居忠子役の綾瀬はるかがひかえていた。彼女は今年NHK「八重の桜」新島八重役で奮闘しているが、この時は出番がなく現場の片隅で世間話しに興じていた。この場面の撮影は夜を徹して行われたらしく、一部のエキストラは最後の最後まで付き合うことになった。役者稼業も華やかで気楽に見えるが、長く続けるには体力と気力がないと務まらない。そのためには日ごろから身体と心のメンテナンスに気を配る必要があるのだろう。この基本動作は会社員と同じである。夢を売る俳優さんが会社員と同じとは失礼な言い方かもしれないが、高温多湿のクソ暑い大阪の屋外で夜を徹して演技の練習と本番を繰り返すには、やはり体力が優先されると思った。それにしてもこの映画の関係者は数千人にものぼり、どこに監督の鈴木雅之がいるのか分からないほどの混雑ぶりであった。今回の映画に比べて、ヤクザ映画の現場は規模が小さく「仁義なき戦い」の深作欣二や「山口組外伝　九州侵攻作戦」の山下耕作の所在はすぐにわかる程度の撮影現場であった。

夜も十時を過ぎたころに、プルプルと携帯電話が鳴り始めた。お盆の最中に何かと思ったら、勤務先の社員のお父さんがお亡くなりになり、葬式の打ち合わせをしたいという電話であった。撮影の最中に携帯電話で話し込むわけにもいかず、残念ながら現場からリタイヤすることになった。出口で渡されたのが、大阪国の水筒（アルミ製の安物）一個だけであった。

出来上がった作品を映画館で見て、いくつか気がついた事があった。「プリンセス・トヨトミ」には東京の中央集権から脱却して大阪に独立国を作る意図があり、時の大阪府知事橋下徹の意図するところと一致したため、これほど大規模なロケを大阪府庁の正面玄関で慣行することができたと思う。大阪府や大阪府警の協力がなければ、この映画は成立しなかった。現代の映画はＣＧでいかなる場面も創作できるが、五千人のエキストラを集め集団で会計検査院と対決する企画を立て、それを一晩でやってのけたプロデューサはすばらしかった。実写とＣＧでは出来き上がった作品の迫力が全く違う。このプロデューサは関西人に呼びかければ、弁当と水筒一個で大坂城に五千人を集めることができると判断したはずであり、その慧眼は称賛に値する。仮に東京で映画「プリンセス・トクガワ」の撮影ために江戸城皇居前広場に五千人を集める企画を立てても、東京都や警視庁が許可するとは思えない。また手弁当で夏のクソ暑い中「おもろいやないか、行ったろか」と思う酔狂な閑人も東京には五百人もいないだろう。大阪と東京の文化の違いが際立つ映画が「プリンセス・トヨトミ」なのである。

詩的現代　第６号　２０１３年９月

Ⅲ

……………

東京暮らしを始めたころ——つげ義春「海辺の叙景」

私が漫画を読み始めたのは、昭和三十年代貸本屋で借りた『赤胴鈴之介』が最初であった。賃料は一〇円であったと思う。一冊借りるのに他の漫画を読み漁って『赤胴鈴之介』を借りると、貸本屋のおばちゃんから「立ち読みはアカン」と怒られた。それでも、おばちゃんに怒られるまで粘って立ち読みを続けていた。その頃、月刊『少年』『冒険王』『ぼくら』などの漫画雑誌が本屋の店頭に平積みされており、母に買って欲しいとねだったものの「漫画はアカン」と言われ、仕方なく近所の友達の家で『少年』を見せてもらった。この『少年』には手塚治虫の「鉄腕アトム」が連載されており、心を躍らせて読みふけった。この頃の少年漫画は「正義が悪をこらしめる」「科学技術の進歩が素晴らしい未来をつくる」「スポーツ根性礼賛」という単純明快な物語の展開であった。その後、週刊『少年サンデー』『少年マガジン』が発刊され、「伊賀の影丸」「おそ松くん」「ハリスの風」などに夢中になった。これらの漫画は学校でも評判になっており、友達に遅れないように母にねだって買ってもらった。漫画に親しんだのも小学生までであり、中学生になると漫画にたいする興味が薄れてゆき、活字の世界に心を躍らせるようになっていった。

漫画から離れて数年後、近所の耳鼻科で何気なく週刊誌を手に取ると、『ガロ』という漫画雑誌につげ義春という新しいタイプの漫画家が登場したという記事が目についた。記事の詳細は忘れたが、芸術性に溢れた作品は若者に熱狂的に支持されているという主旨であった。この週刊誌には「ねじ式」「チーコ」「海辺の叙景」が転載されていた。その頃、ようやく漫画と劇画の区分けが定着しつつあった時代であり、赤塚不二夫の「天才バカボン」は漫画であり、さいとう・たかをの「ゴルゴ13」は劇画であった。両作とも私の愛読する作品であったが、これらのメジャーな作品とつげ義春の漫画は全く違っているのに驚いた。「ねじ式」は暗い描写が細密であり、夢想のような物語の割には現実感が溢れていると感じた。そして「海辺の叙景」の私小説を漫画にしたような物悲しい抒情、現実から逃避してゆく臨場感が毛細血管を通して身体の隅々までいきわたる感じがした。

「海辺の叙景」に登場する男と女は東京からはじき出されてここに来たのであろう。主人公の男はあきらかにつげ義春本人であり、母の故郷である外房の海水浴場に来て知らない女性と知り合う。女性は服飾デザイナーのようであり、男から煙草をもらいくゆらせている。浜辺には陽が降り注ぎ、二人の周りは多くの人で賑わっている。その賑わいから二人は離れた所にいて、海岸の黒い影と打ち寄せる荒波の風景につつまれている。何故この二人は東京からはじき出されたのかわからないが、二人とも生活や仕事に疲れ果て、外房に来て楽しそうに泳ぐ連中をうつろな眼差しで見つめている。恐らくこの二人は東京でも同じような視線で他者を見つめていたはずである。この感覚は、地方から都会に出てきたものの、なかなか仕事や仲間になじめず孤立感を深めていた若者に共通する感情であった。つげ義春が若者から好まれた理由は、今までの漫画になかった孤立無援、根なし草、落ちこぼれという物悲しさを漫画に表現したからだと思う。こんな思いは小説や詩を読めばいくらでも出てくる。しかし、そんなめんどくさいことができない若者がつげ義春の漫画に飛びついたのだと思う。その翌日に二人は海辺で会う約束をしたのだが、雨が土砂降りで泳げるような海辺ではなかった。男がボート小屋で煙草をふかしていると女も来て、二人で呆然と海を見つめながら言葉少なく会話を交わす。それから二人は荒海で泳ぎ、女が男を見つめる場面に変わる。ラストシーンは曇天の土砂降りの中を男が泳ぎ続ける場面で終わる。このラストシーンは不吉である。まさに都会からはじき出された二人の行く末を暗示しているような暗い風景が広がっているのだ。

私は「海辺の叙景」を読むと、心細い思いで大阪から上京し一人暮らしを始めた頃を思い出す。私は会社の仕事にもなじめず友達もおらず、このまま落ちこぼれてしまうのかという不安な気持ちにさいなまれていた。それから三十余年の歳月が流れた。小学館文庫『紅い花』（昭和五一年）に収録された「海辺の叙景」には、東京暮らしを始めた頃の懐かしく侘しい記憶がぎっしりと詰まっている。

詩的現代　12号　2015年3月

鬱然たる大家の家——徳富蘇峰山王草堂記念館

旅行や仕事のついでに、文学館や記念館に入ることは楽しみのひとつであった。しかし最初から文学館や記念館を訪問する目的で訪れていないため、見学するにしても雑になってしまい展示物がほとんど印象に残っていなかった。多くの文学館や記念館は地元の役所が運営主体になっている場合が多く、建物が御殿のように立派な割には、展示物が貧祖でがっかりさせられたこともあった。役所は文化事業のように見せているが、実質的には箱もの行政の一翼を担っているように思えてならない。実態はよく分からないが、私のような時間つぶしに訪問している不心得者には見えないところで、学芸員が苦労して資料収集にあたり、学術的にその資料を分析しているのかもしれない。

勤務していた会社の施設が東京の大森駅からタクシーで一〇分ほどの西大井にあり、

あれこれ準備をするために早めにその施設を訪れたことがあった。準備の方は一時間たらずで終わってしまい、施設の近所を散歩でもして時間をつぶすことにした。この辺りは大森駅から見ると高台になっており、戦前は富裕層の住宅や別荘が建てられた地域である。外へ出て二、三分ほど歩いたところに徳富蘇峰の山王草堂記念館があり、時間つぶしにちょうどいいと思い訪問することにした。この記念館は大正十三年、蘇峰が六二歳の時に建てた自宅であり、昭和一八年に八一歳で熱海へ移るまで、ここで著作活動を続けていた。建物は門からはるか上の方にあって、上から目線を感じる門構えであった。蘇峰は文久三年に生まれ、昭和三二年九五歳で没している。いくらご長寿といっても、大森駅から続く急斜面を上り降りして銀座の民友社に通勤するのは大変であったと思う。玄関には御殿のような破風の屋根がついており、玄関前から敷地を見渡したところ、この屋敷は千五百坪ほどの広大な森に囲まれていた。建物は二階部分が復元保存され、だれでも見学できるようになっていた。

今や徳富蘇峰の著書を読む人はほとんどいないと思うが、平成十八年に講談社から

『終戦後日記』が出版されており、明治・大正・昭和の言論人として活躍した蘇峰は近代史を語る上で外せない人物になっている。蘇峰は同志社で新島襄の薫陶をうけ、明治十九年に出版した「将来之日本」が田口卯吉に絶賛されて論壇に登場し、二五歳で民友社を設立、日本初の総合雑誌「国民之友」を発行、また国民新聞を発刊してジャーナリズムの寵児となり、終戦まで言論界や政界に一定の影響力を持ち続けた。「将来之日本」は『現代日本思想体系四・ナショナリズム　吉本隆明編集』筑摩書房に収録されており、さらさらと斜め読みしてみたが、明治日本は産業を興して「富国平和」の道を進めという論調であった。明治十九年といえば世の中はまだ江戸時代の暮らしぶりであったと思うが、驚いたことに蘇峰は欧米各国の工業生産高や通信ケーブル敷設距離等の統計的な数字を駆使して自論を展開していた。田畑忍によれば、蘇峰は福澤諭吉の富国強兵の向うをはって、「富国平和」を主張していたらしい。その後、日清戦争を機に膨張路線に転向したという評価になっている。また史論家としても多数の著作を残しており、『吉田松陰』（岩波文庫）『近世日本国民史』（講談社学術文庫）等が代表作である。蘇峰が史論を書き始めた頃は、山縣有朋、伊藤博文、板垣退助、大隈重信などの明治維新の立役者が存命であり、直接これらの立役者から話を聞いて著作をまとめていた。この直接取材が蘇峰の強味であった。この経歴からすれば、まさにジャーナリストとして明治・大正・昭和を生き延びてきた鬱然たる大家という感じがする。そして山王草堂も鬱然たる大家が住むにふさわしい大邸宅であった。

私が訪問した日は平日の午後であったため来館者は私一人であり、また入館料は無料であった。こんな気楽な記念館は初めてなので、マイペースで見学することができた。屋内の天井は高く柱や梁が太く、普通の家屋よりも広いけれど重たい空気が流れていた。建物は森に囲まれ、南側に廊下があり部屋のなかに光が差し込まないので、どの部屋もどんよりと薄暗かった。その部屋に蘇峰が使っていた机が置かれていたが、この机がまた大きいのである。さらに和室に大きな籐椅子が置かれてあり、蘇峰はこの部屋でくつろいでいたらしい。私のような凡人には、広く大きすぎて、よけいに落ち着かない空間のように思えた。また墨痕あざやかな掛け軸の書体は、直線の目立つ太い筆で書かれており武骨な肥後もっこすがむきだしのように感じられた。蘇峰は十四歳から純粋なピューリタンの教育を受けていたので、大人になってからも酒を飲まず、煙草も吸わず、変な遊びは一切しないという優等生であった。明治期にキリスト教の洗礼を受けた人は、その様な生活態度であったため長生きした人が多かったらしい。現在の山王草堂の回りは住宅が隙間なく建てこんでいるが、蘇峰が居住していた頃は、世間の喧騒から隔絶され自然に囲まれたワンダーランドであった。蘇峰はこの大邸宅で、ひたすら本や資料を読み原稿を書き続けていたのだと思う。ここに一時間ほどいる間に、『近世日本国民史』全百巻のような膨大な著作は、この大邸宅に住んでいたから書くことができたと思わせるだけの迫力を感じた。この記念館は大正十三年にできた古めかしい木造家屋が保存復元されているが、鉄筋コンクリートの文学館や記念館には負けないパワーを秘めていると思う。またこの記念館は畳の部屋が多いせいか、蘇峰の家族、書生、使用人、来客が右往左往していた息吹が残っており、ふすまを開けると白髪の蘇峰が座っていると思わせる古風で不気味な空気が漂っているように感じられた。

詩的現代　第9号　2014年6月

物見遊山

力の抜き方――天野忠

ゴルフを始めて三〇年ほどになるが、いっこうに上達しない。会社の上司から命令され、いやいや始めたという動機がそうさせているのかもしれないが、その割にはゴルフ場へ行くと、満身の力を込めてスイングしてしまう。力を入れると身体が上下左右にぶれるだけでなく、手首をこね回し、ボールを打つ前に先を見てしまうなど、やってはいけない事だらけになってしまう。その結果、ボールはあらぬ方向へ飛んでしまい、成績はボロボロになる。だからラウンド直前に「今日は力をぬいてスイングしよう……力をぬく・力をぬく」と思いすぎると逆に変な所に力が入り、また成績はボロボロになってしまう。岡本綾子プロの現役時代のスイングは素人目に見ても力のぬけた美しいスイングであった。その弟子で今年の賞金女王に輝いた森田理香子プロも師匠と同じように力のぬけたスイングで女子プロ屈指の飛距離を誇っている。何でそうなるのか、ド素人なりに色々考えてみたが、一見すると力のぬけた自然体のスイングは無駄がないからボールは真直ぐ飛び、飛距離も出るのだと思う。

詩作とゴルフは全く別物であるが、力のぬき方の難しさだけは同じように思えてならない。吉本隆明の「転位のための十篇」を読んだとき、満身の力を込めてフルスイングしたゴルフクラブが頭に当たったような衝撃を受けた。吉本は外人ゴルファーなみのフルショットで詩を書いていたと思う。そのころ京都の片隅で黙々と詩を書いていた天野忠の作品に、力がぬけているようでぬけていない強烈な批評精神を感じた。天野忠のテーマの選択や言葉の展開は自然のように見えるが、ヘッドスピードはすばらしく早いと思う。私は天野忠が『動物園の珍しい動物』を刊行した年齢より少し年上になってしまったが、なかなか力がぬけなくて困っている。詩作でも力をぬいて直進するような作品を書けるかが私の関心事である。

ガーネット　72号　2014年3月

A氏の話

先日、拙作を読んだというA氏から手紙を頂き、大阪で食事をする機会を得た。私は詩を書き始めて四年ほどしかたっておらず、詩の仲間は皆無であり、A氏も初対面の人だった。酔いも回り始めた頃、A氏から私のような経歴の詩人は誰もおらず詩を書くに値しないと一喝された。A氏によれば、理由はよくわからないが私の経歴では良い詩は書けないとのことであった。それにしても経歴を基準に詩の良し悪しを判定するA氏の理屈は、私には理解できない評価基準であった。更に私の詩に登場するエレクトロニクス言語が気に入らない、本来の詩的言語を駆使して詩を書けないのなら退場せよと命じられた。拙作を読んでどの様な感想を持たれるかは人それぞれであり、A氏には拙作を読んで頂いたことを感謝するのみである。A氏は酔うほどに饒舌になり上機嫌で店を出られたが、私はその逆で疲れ果てて帰路についた。

CYPRESS　8号　2014年5月

ダンシング・オールナイト

昨年末に京都のライブハウスで開催された水谷啓二ひきいるケー・ファンクの演奏会を聴きに行った。彼は中学・高校の同級生であり、「ダンシング・オールナイト」の作詞家、テナーサックスやフルートの演奏家として知られている。活動の本拠地は東京であるが、実家が京都にあり年に数回は地元のライブハウスに出演している。開始早々テナーサックスが唸りをたて、オハコの「ダンシング・オールナイト」でテンションはピークに達した。この歌はラブソングであるが、その歌詞の中に「ダンシング・オールナイト言葉にすれば／ダンシング・オールナイト嘘に染まる」という一節がある。本当の気持ちを言葉にすれば、嘘に染まってしまうというほどの意味であろう。現代詩も言葉にすれば嘘に染まる一面があると思う。それが詩の本質であると思うが、そこを乗り越えることができるのか、できないのか、それが現代詩の課題であると思う。

CYPRESS　11号　2015年3月

神田の古書店

上京するたびに時間をつくり神田の古書店街をぶらついている。東京駅から中央線に乗り換え、御茶ノ水駅で下車、明治大学の前を歩くと神田に来た気分になる。現在の明治大学の建物は普通の高層ビルのようでもあり、このような校舎が今の若い学生にはうけるのだろう。私は昭和3年に竣工した古色蒼然とした前の校舎の方が好きだった。古書店街を歩くと、ネットでは見つからない本に出くわすことも多い。私は吉岡実が好きで、神田に行ってはコツコツと吉岡実の古い詩集を買い集めている。もちろん詩作品やエッセイに強く惹かれているのだか、詩集の装丁や造本にも吉岡実のこだわりを強く感じている。微細な字画まで気にして詩を書いていたような吉岡実の詩集を大阪から神田まで買い求めに行くことが上京の楽しみのひとつである。

CYPRESS　14号　2016年3月

大学の授業

仕事のかかわりがあり、先日三人のアルバイト学生と話をした。繁忙時期にもっとシフトに入って欲しいと要請したが、三人から「それはできない」と断られた。理由を聞くと、大学の授業に出席するためとのことであった。一人の学生が「社会人になってから役立つ知識を身につけるために授業に出席する」と自慢げに話していた。私は心の中で「大学の知識が役に立つと思いこむな。大学の知識だけで世の中を渡れるほど、甘くない」と呟いていた。言葉で成り立つ知識が実業の世界で役に立つ事もあるが、天真爛漫に役立つと思い込む無邪気さに危うさを感じた。彼らには、知識の内容を疑い、教えられたことに反発する批評精神がないと社会にでてから良い仕事は出来ないよと言いたかった。しかし今の世の中、アルバイト学生を採用するのも四苦八苦であり、カッコよく説教がましい講釈をたれると学生に逃げられるので余計なことは言わなかった。思い返せば、実学の知識があれば何とかなると勘違いしていた私も社会に出てから痛い目にあい、実社会の厳しさを思い知らされた。どちらかと言えば、実社会で役に立たないといわれている歴史や文学、哲学、宗教などを学び、人も社会も計り知れない奥行と深みがあることを学んだ方が実社会にでてから役に立つように思う。私は実社会でそのことに気が付くまでに、二十年以上の歳月を要したかもしれない。

CYPRESS 15号 2016年6月

至福の時

一日の一番の楽しみは、暖かい風呂に入り身体を温めて眠りにつくことである。眠りにつけば世俗の有象無象をすべて忘れ、誰にも邪魔されず自分の世界に浸ることができる。そのあと夢を見たり見なかったり、自我の無い夢の中では全て成り行き任せである。夢の中で楽しい出来事も色々あると思うが、思い出すことは皆無に近い。何故だろう。覚えているのは、誰かに追いかけられて逃げ惑う夢、崖の下へ転落する夢、金縛りにあい身動きが取れなくなる夢などである。あまりの怖さに叫び声をあげて目を覚ますことが何度もあった。それからまた眠りにつくと、また全てを忘れてしまう。夢の中に世俗の有象無象が形を変えて出没していると思うが、春の日の午後のようなのんびりした至福の時が流れてゆく夢を見たい。心穏やかに新緑のなかを歩み、鳥の声に誘われてせせらぎの水を飲み干している夢を見たい。夢の中では全てが成り行きまかせである。

CYPRESS　17号　2017年2月

竹崎勝代の版画

神戸のJR住吉駅から歩いてほど近い住宅地のなかに竹崎勝代の木版画しか置いていない「コマチ」という店がある。「コマチ」のつくりは最初から竹崎勝代の版画のために作られたおもむきがあり、こぢんまりとした落ち着いた空間が広がっている。ここで昨年一二月、「北極星」と題する一対の木版画を買い求めた。この木版画の色合いは暖色系のぼんやりとした中間色であり、幾筋もの糸のような描線が縦横に織りなすように描かれている。この作品を一目見て人の心を布地で包むような温かさがあると感じた。

その図柄は「北極星」とは思えないだまし絵のような三次元の幾何学模様であり、眺めるたびに様々なことを連想させてくれる。その連想は優しく包まれるような静けさに満ちている。ストレートな描線と原色のアートは人の心をエキセントリックにさせるが、竹崎勝代の作風は真逆であり、穏かな安らぎが溢れている。地味であっても、ぼんやりと時空を照らすような木版画を毎日眺めながら、自分も穏かな気分になれる喜びを感じている。

CYPRESS　18号　2017年6月

ノーベル賞の山中さん

NHKでiPS細胞の第一人者山中伸弥さんの番組を見て、この人が現代詩を書けばどうなるのかと思った。繰り返し実験をおこなう過程の中で、山中さんは「常識外れや想定外が好き」であり、自らを評して「自分は何も知らない人間です」と謙虚に語っていた。デジタル思考の極北にアナログ世界が広がってゆく、この過程は詩作に通じると感じた。とてつもない仮説であるが、山中さんが現代詩に興味を持てば、今まで見たことのない異界を表現できる可能性はあると思う。数年前、芦屋のゴルフ場で山中さんが前の組にいるという幸運に恵まれた。おかげで一日、山中さんのプレーを後ろから見ることができた。とにかく山中さんは素振りが大好きで、他の三人がティグランドで話をしていても黙々と素振りを続けていた。そして一球入魂満身の力を込めて球を打つのである。そのあとカートに乗って移動する際、ただ一人山中さんだけが、見ず知らずの我々に笑いながら「お先に失礼します」と頭を下げていた。素朴で謙虚な山中さんは色々な引出しを持っている人だと思った。

CYPRESS　19号　2017年10月

大阪中之島図書館

調べ物があり五十年ぶりに大阪中之島図書館を訪問した。初めてこの図書館を訪れたのは高校生の頃、勉強するつもりで教科書や参考書などを持参して訪問した。当時の入口は正面玄関ではなく、通用口から出入りしていたと思う。入館後、文学書の書架など一瞥もせず自習室に入った。しかし一〇分もたずに早々に退散した。自習室には高校生や大学生、司法試験の受験生など、必死に勉強に埋没している連中が溢れかえっていた。あまりにも息苦しく、ここは自分にふさわしくない場所であった。今回は石段を登り正面玄関から入館した。この建物は明治三七年住友吉左衛門の寄付によって建てられ、外観はルネッサンス様式、内部はバロック様式の堂々たる建物である。そして中央ホールに入り、天上を見あげると見事な円形ドームに覆われていた。明治の人々の知識に対する畏敬、尊厳を感じさせる空間が広がっていると感じた。齢を重ねると、同じ建物に入っても感じ方がこうも違うのかと思ってしまった。少年易老學難成の一語に尽きる。

CYPRESS　20号　2018年2月

教会のひととき

若い頃、教会に通いつめた時期があった。それも一時期のことで、仕事に追われ、あれこれ雑事に紛れているうちに教会から足が遠のいてしまった。ある日曜日の朝、久しぶりに教会に行こうと思い立ち、昔の聖書と讃美歌を鞄に詰めて、行ったこともない教会の礼拝に参加した。知らない牧師さんと知らない教会員のなかで讃美歌を歌い、聖書の朗読を聞いた。そのあと低い声で話す牧師さんの説教を聞いた。教会員の方々は日常的な出来事であるのかもしれないが、何十年ぶりに教会に足を踏み入れた私にはとても新鮮で心地よいひと時であった。教会には日常から離れ、何者でもない自分に戻れる解放感があった。このとき読まれたコリント人への第二の手紙第四章十八節「見えるものは一時的であり、見えないものは永遠につづく」という聖句が心に残った。礼拝のあと、牧師さんから教会員とともに食事をしないかと誘われたが、丁重にお断りして教会を後にした。

CYPRESS 21号 2018年6月

戦争の記憶

八月になるとテレビや新聞で戦争にかかわる報道やドキュメントが放映される。これらのマスコミに取り上げられる戦争に触れるたびに、戦地から復員した高校の先生の話を思い出す。牧師でもあった大橋寛政先生は、フィリピンの戦場で連隊から離れ、数人でジャングルの中をさまよい身も心も極限に達した時に、死んだ戦友の死体を食べて生き延びた話をされていた。大橋先生は極限状況に追い込まれると、人間はこうまでして生き延びようとする生き物であり、これも神様に与えられた試練である言われていた。「神様に与えられた試練」により、人肉を食べるとはどういう行為であったのか。「神様なんか存在しないよ」と言うのは簡単であるが、自らの存在の否定につながりかねない危うい解釈である。武骨で今ひとつ明るさのなかった大橋先生は数年前に亡くなられたが、大橋先生の父上は盲目の牧師大橋五男氏であり『あめにたから』という伝記がのこされている。

ＣＹＰＲＥＳＳ　22号　２０１８年10月

渋谷の吉増剛造

昨年の夏、渋谷松濤美術館で吉増剛造展を見た。この美術館は東急神泉駅からほど近いところにあり、訪れた日は来館客も少なく、ゆっくりとオブジェを見ることができた。

入口に掲げられた詳細な年譜を見て、吉増剛造は慶大生の頃、渋谷の宇田川町あたりで遊びまわり、キャバレーのボーイをしていたことを初めて知った。この辺りは安藤昇の縄張りであったらしいが、私は若いころバイト先の東映京都撮影所で安藤昇を見かけたことがあった。あの安藤昇の暗い眼差しのなかに、吉増剛造も入っていたのかと思うと、感慨深いものがあった。展示を見て感じたことは、遠い昔、若き日の吉増剛造の講演と詩の朗読を目の前で見た時の詩神のような輝きが、四十数年を経た今日まで持続されているということであった。そのエネルギーの源泉はどこにあるのか、私には吉増剛造は物心がついた時から今日まで、舞い上がる狂気に憑りつかれて創作活動を続けてきたとしか思えない。『我が詩的自伝』を読むと、吉本隆明の『言語にとって美とはなにか』『西行論』や「日時計編」「マチウ書試論」を筆写していると記されていた。これをやりきる人はほとんどいないと思う。

CYPRESS　23号　2019年2月

目にみえないものの力

ある大学の文学部国文科の先生と飲む機会があり、最近の大学生の気質について色々と話を伺った。私が学生の頃、文学部は女子学生に人気があり、私の在籍した経済学部は男だらけのむさくるしいところであった。最近の学生はプラグマティックに学部を選択し、実社会で役に立たない国文科の志望者は低迷し、文学部の中でも特に役立たずと評価されていると聞いた。これは最近の保護者と学生の浅薄な見方であり、荒川洋治に倣って言えば文学は実学であり、プラグマティックに則してみても、私は「文学は実社会で役に立つ」と思っている。文学作品を読むことによって感受性と想像力が鍛えられ、文学の中で展開される人の生きざまや、屈折を繰り返す心理から、一筋縄ではいかないのが生身の人間であることを認識させてくれる。実社会で理系、文系いずれの仕事をするにしても、目に見えないものの力がどれほどのものか、文学を通して若い学生のうちに体験しておくことは重要である。私の関わってきた電気分野でも、事実を積み上げても本質が見えないことは多々あり、それが実業であるという認識は文学によって教えられた。

CYPRESS 24号 2019年7月

糸井重里

最近、糸井重里をテレビで見かけなくなった。以前は、はにかむような語り口で、軽妙なMCぶりを発揮していた。よく知られている通り糸井重里はセゾン文化を代表する「不思議、大好き」「おいしい生活」等のコピーを手掛け、時代の気分をすくいあげる名手として活躍していた。今やその糸井重里は株式会社ほぼ日の社長として活躍している。この会社は年商五三億円、経常利益六億円の堂々たる大会社である。二年前にジャャスダックに上場したらしく、テレビに出る余裕は無くなってしまったのだろう。その糸井重里が編集した「吉本隆明の声と言葉。」を読み、付録のCDで吉本隆明の講演を聞いた。この本のまえがきで糸井重里は吉本隆明の講演を「iPodに入れてシャッフルして聞いてもらっても大丈夫だと思います。事実、ぼくはそういうふうにして散歩していたこともしょっちゅうでした」と書いている。大会社の社長ともなれば、苦労の連続であり、全てを投げ出したくなることもあると思うが、それを吉本隆明の肉声が支えるという不思議な構図が成立している。私も若い頃から吉本隆明の門前をうろうろしたが、落ち込んだ時に「転位のための十編」を読みずいぶん助けられた。吉本隆明は理屈を超えて、宗教に近い魅力を備えた稀有な文学者である。

CYPRESS　25号　2019年10月

長谷川龍生氏について

若いころ詩作の真似ごとをしていた時期があり、五十歳の半ばを過ぎてから発表するあてもなく詩を書き始めた。それらを集めて二〇一〇年『都市のしじま』という詩集を出版した。詩の仲間は誰もおらず贈呈する先もなく「現代詩手帖」の年鑑を見て、昔から知っている詩人に郵送した。その一人が長谷川龍生氏であった。

見たことはないか
それは、いつでも反射弓の面で
タッチされ、誘導されている。
夜の大脳。Occiptal 脳葉の海の上だ。

学生時代「パウロウの鶴」を読み教科書で習った抒情詩では使われない乾いた言葉を

連ねて、何かに抵抗する集団の強烈なうねりを感じさせる作風に驚いたことを覚えている。その長谷川氏に無名であった私の詩集を読んで頂き、ありがたくも丁重なお手紙を頂いた。そこには、この詩集に収められた「放送波がつくる電脳回路」という作品について「都会派、若干の社会派で小生には身に沁みてよく判ります。この詩が秀れています。この方向に、貴方の魅力があります。さらに新しい時代への切り込み。」と書かれていた。無名の私にはこの長谷川氏の評価がそれこそ身に沁みて嬉しかった。私はこの長谷川氏の評価と課題を旨として、エレクトロニクス用語を使用した詩を書き続けていこうと思った。その後『メカニックコンピュータ』という詩集を出版し、今もエレクトロニクス用語を織り交ぜた詩を書き続けている。

潮流詩派　260号　2020年1月

あのころの梅宮辰夫

梅宮辰夫が亡くなった。昭和四八年一月に封切られた梅宮辰夫の出世作「仁義なき戦い」は東映京都で撮影された。私はこの映画にエキストラとして出演していた。主演は菅原文太、脇を松方弘樹、山城新伍、渡瀬恒彦、金子信雄らが固めていた。高い天井のスタジオの中はあまりにも寒く、長い撮影の待ち時間の間、煙草を吸っては吸殻を踏み潰していた。菅原文太だけが一人離れて煙草を吸い、他の俳優はストーブを囲み世間話しに興じていた。梅宮辰夫は赤いセーターに白いバギーパンツをはき、当時出始めたカップヌードルにお湯を注ぎ、その談笑の輪の中に入ろうとしたとき、エキストラ仲間のT君の手が当たりお湯がこぼれてしまった。談笑の輪の中にいる俳優はいずれも東映を代表するヤクザ映画の大物であり、その下に川谷拓三、志賀勝らの大部屋俳優、その下にエキストラという階層になっていた。虫けら扱いのエキストラにお湯をこぼされた梅宮辰夫は、激怒するかと緊張したが、「ああいいよ」と笑いながら談笑の輪の中に入っていった。その立ち居振る舞いには明るい品格があり、優しさがあった。私は次の「山口組外伝・九州侵攻作戦」でも梅宮辰夫と共演?した。その後、梅宮辰夫は映画やテレビで活躍し続けたが、その人柄のゆえに長い俳優人生を全うできたのだと思う。

CYPRESS　26号　2020年3月

双林プリントとその時代

清水哲男のことを書くために『唄が火につつまれる』や大野新『砂漠の椅子』などを読み返し、また最近出版された正津勉『京都詩人傳』を読み、深い感慨を覚えた。あのころの京都の印刷屋、双林プリントには社主の山前實治と大野新が創り上げた現代詩の磁場が存在した。この磁場に「ノッポとチビ」の大野新、深田准、清水哲男、有馬敲、山村信男、河野仁昭らが集い、大野新に誘われて石原吉郎、天野忠が寄稿し、天野忠は山前實治の文童社から『クラスト氏のいんきな唄』『動物園の珍しい動物』などの主要な詩集を出版した。また別の領域では、学生の同人誌「首」の清水昶、正津勉らが集い、「同志社詩人」の佐々木幹郎、季村敏夫、各務默、永井孝史らが集い、倉橋健一、佐々木幹郎、清水昶、鈴村和成、藤井貞和、米村敏人を同人として創刊された「白鯨」の印刷も双林プリントが請負っている。山前實治の詩誌「骨」は河野仁昭の『戦後京都の詩人たち』によると、京都の文化人サロンのような同人誌で深瀬基寛、天野忠、佐々木邦彦、荒木利夫、井上多喜三郎、依田義賢、安田章一郎、田中克己らが参加していた。明治、大正の町家が密集する御幸町御池に、六〇年代から七〇年代にかけて、言葉の力に寄りかかって詩を書いていた詩人が集まる「双林プリントとその時代」があった。この磁場は印刷会社・出版社の社主と社員がともに詩人であるという稀有な組織体であった。いずれの時期か、あの懐かしい双林プリントの果たした役割と位置付けが体系的に纏められることを願ってやまない。

CYPRESS 27号 2020年7月

著者略歴

岸田裕史（きしだ ひろし）
1952年大阪生まれ。
詩集　『都市のしじま』2010年　書肆水明舎
　　　『メカニックコンピュータ』2012年　澪標
「イリプスⅡnd」同人
詩誌「CYPRESS」発行人
〒569-1126　大阪府高槻市殿町8-2

詩の彩り
二〇二〇年八月十日発行
著　者　岸田裕史
発行者　松村信人
発行所　澪　標《みおつくし》
大阪市中央区内平野町二 - 三 - 十一 - 二〇二
ＴＥＬ　〇六 - 六九四四 - 〇八六九
ＦＡＸ　〇六 - 六九四四 - 〇六〇〇
振替　〇〇九七〇 - 三 - 七二五〇六
印刷製本　亜細亜印刷株式会社
ＤＴＰ　山響堂 pro.